*Chères lectrices,*

L'Egypte. Si vous êtes, comme moi, fascinées par son passé millénaire, ses merveilles archéologiques, sa mythologie fascinante, vous suivrez avec un plaisir infini les pas de Liv, la ravissante héroïne de *Amoureuse du cheikh* (Azur n°2858), qui se réjouit à l'idée de découvrir ce pays de légendes. Mais une suite d'événements va bien vite avoir raison de sa soif de découvertes et plonger la jeune femme dans un terrible cauchemar… Heureusement, grâce au ténébreux et magnifique cheikh Khalid Fehr, ce mauvais rêve finira par se dissiper, avant de faire place à un lumineux et tendre paradis d'amour… J'espère que vous prendrez autant de plaisir que moi à la lecture de ce roman, dernier volet du formidable diptyque de Jane Porter.

Je vous invite également à lire la suite de la trilogie de Carole Mortimer, « La Saga des Gambrelli » (Azur n° 2860, *Un troublant ange gardien*). Dans ce roman au style enlevé, vous serez au cœur des relations passionnées entre le comte Carlo Gambrelli et Angel, la belle et farouche jeune femme sur laquelle il doit veiller. Alors que tout semble les opposer, ils sont irrésistiblement attirés l'un vers l'autre… Nul doute qu'étincelles et étreintes brûlantes seront au rendez-vous !

Enfin, les autres romans du mois vous offriront de merveilleux moments de rêve et d'évasion.

Très bonne lecture !

***La responsable de collection***

# Un incorrigible play-boy

EMMA DARCY

# Un incorrigible play-boy

COLLECTION AZUR

*éditions* Harlequin

*Cet ouvrage a été publié en langue anglaise*
*sous le titre :*
THE PAYBOY BOSS'S CHOSEN BRIDE

*Traduction française de*
DIANE LEJEUNE


83-85, boulevard Vincent-Auriol, 75013 PARIS — Tél. : 01 42 16 63 63
Service Lectrices — Tél. : 01 45 82 47 47
ISBN 978-2-2808-4881-7 — ISSN 0993-4448

# 1.

Rasé de frais, Jake Devila se passa un peu d'after-shave dans le cou. Son parfum faisait systématiquement tourner la tête de toutes les femmes qui croisaient son chemin. Toutes, sauf une. Merlina Rossi, son assistante, toujours farouche et tirée à quatre épingles, et qui prenait un air dédaigneux dès qu'il s'approchait d'elle.

Il se regarda dans le miroir, un grand sourire aux lèvres. L'idée qu'il avait eue hier soir allait à coup sûr lui faire perdre contenance, se félicita-t-il. Car rien ne l'amusait davantage que de la faire sortir de ses gonds. Quand elle se mettait en colère, une lueur sauvage brillait dans son regard d'ambre. Un regard de tigresse. Et que se passerait-il si elle sortait vraiment les griffes ? Le réduirait-elle en charpie ? Cette passion débridée pourrait s'avérer terriblement excitante, songea-t-il.

A vrai dire, le fait que Merlina se montrât aussi acariâtre envers lui mettait un peu de piquant dans sa vie et le changeait de la douceur avec laquelle les autres femmes le traitaient d'habitude. Ainsi, il ne pouvait s'empêcher de la faire enrager. C'était plus fort que lui.

Cela faisait près d'un an et demi que Merlina travaillait pour lui. Elle incarnait l'assistante idéale : elle suivait ses instructions à la lettre, connaissait sur le bout des doigts ses dossiers et se chargeait même de recevoir ses clients lorsqu'il était occupé ailleurs. Des innombrables C.V. qu'il avait reçus, il avait sélectionné celui de Merlina car elle avait travaillé pour un magazine à destination des adolescents, ce qui faisait d'elle une bonne spécialiste de ce marché si juteux pour la société de Jake, *Signature Sounds*.

Elle était arrivée pour l'entretien d'embauche vêtue d'un tailleur pantalon ample et noir, ses cheveux bruns sagement plaqués en arrière par des peignes en écaille. Malgré ses efforts manifestes, quelque chose de sensuel se dégageait de tout son être, avec sa bouche bien pleine, ses yeux aux longs cils noirs, sa peau dorée et ses courbes voluptueuses qu'elle devait sans aucun doute à ses origines italiennes.

Mais elle n'était pas son style, avait aussitôt pensé Jake. Sa préférence allait plutôt vers les grandes blondes minces et élancées qui, elles, savaient se mettre en valeur et tout faire pour le séduire. Et il le leur rendait bien, même s'il savait qu'elles recherchaient avant tout un homme avec qui faire leur vie. Mais sur ce point, son expérience personnelle lui avait toujours dicté de garder ses distances.

— Profites-en, lui avait conseillé son grand-père. Tout l'art consiste à ne pas les prendre au sérieux, sinon, ce sont elles qui te mettront le grappin dessus.

A l'époque, celui-ci en était à son quatrième divorce. Jake lui avait demandé pourquoi il avait épousé autant de femmes.

— Parce que j'adore les mariages, lui avait répondu le vieil homme, espiègle.

Du reste, il pouvait se le permettre financièrement. Mais Jake, lui, ne tenait pas à se défaire à la légère de sa fortune durement gagnée. Il avait trop travaillé pour laisser une femme en profiter. Aussi, il prenait le plus grand soin à choisir des collaborateurs dignes de confiance.

Merlina Rossi en faisait partie. Une vraie perle, à beaucoup d'égards. Lors du premier entretien, son intelligence, son esprit vif et alerte lui avaient aussitôt plu. Mais il ne pouvait pas en dire autant de son apparence austère. Sa tenue et sa posture lui donnaient un air collet monté qui laissait présager une nature bien différente de la sienne. Il avait pensé que si elle ne s'adaptait pas vite à son mode de fonctionnement, alors…

— Si vous voulez ce boulot, il faudra changer de look, lui avait-il déclaré. C'est une question d'image…

Non sans plaisir, il l'avait vue rougir, même si elle s'était visiblement efforcée de conserver son sang-froid.

— Et pourriez-vous me dire quelle image vous souhaiteriez que je renvoie ? lui avait-elle demandé avec froideur.

— Pas celle d'une femme qui s'habille comme si elle avait vingt ans de plus, avait-il rétorqué, fasciné de la voir rester si calme. D'après votre C.V., vous n'avez que vingt-huit ans, est-ce exact ?

— Bien sûr.

Il avait alors fait le tour de son bureau d'un pas nonchalant, tout en la détaillant des pieds à la tête.

— Vous devriez porter des vêtements de votre âge. Ma société vend des sonneries de téléphone à une clientèle jeune, et si vous comptez la représenter, alors il faudra suivre la mode actuelle.

A son tour, elle l'avait toisé.

— Jean et T-shirt, vous voulez dire ?

— Non, ça, c'est bon pour les hommes qui travaillent ici. Tenez-vous au courant des dernières tendances en matière de mode féminine. Aujourd'hui, tout le monde porte des jeans, ce n'est plus une question de génération. Un peu de flair, mademoiselle Rossi. Vos cheveux, par exemple…

— Eh bien ? avait-elle répondu avec un éclair de défi dans le regard.

— Oserais-je suggérer quelque chose de plus moderne ? Une coupe plus structurée serait peut-être plus appropriée.

Elle avait rougi de plus belle, au grand plaisir de Jake. Allait-elle finir par s'offusquer devant son arrogance ou jouer le jeu et relever le défi ?

— Une coiffure en brosse, alors ? avait-elle répliqué, de plus en plus hautaine.

Jake avait hésité, mais de peur qu'elle ne finisse par tourner les talons, il avait opté pour une approche plus conciliante.

— Non, avait-il répondu, les sourcils froncés comme s'il essayait de la visualiser avec une coupe différente. Mais une frange, peut-être, ou quelques mèches ici et là… Voyez ce que votre coiffeur vous propose. Entendu ?

— Dois-je comprendre que vous m'offrez le poste ? avait alors demandé Merlina.

— Oui, à condition que…

— Que je procède à quelques modifications, c'est compris, l'avait-elle coupé avant de se lever et de lui tendre la main. Très bien, monsieur Devila. Quand dois-je commencer ?

Le lendemain, elle était arrivée métamorphosée au bureau. Tout dans sa nouvelle tenue soulignait la sensualité de ses courbes, depuis sa minijupe jusqu'à sa ceinture posée bas sur ses hanches, la boucle scintillant juste au-dessus de ses cuisses. Pas un homme n'était resté indifférent à son arrivée… Mais elle semblait parfaitement inconsciente de l'effet qu'elle provoquait et arpentait les couloirs de la société d'un air professionnel et efficace, sans jamais se servir de ses charmes pour obtenir l'assistance de ses homologues masculins.

Dès lors, Jake avait tout fait pour essayer de lui faire perdre sa belle contenance. Jour après jour, c'était la même guerre qui recommençait, et il en savourait chaque instant. Ce jeu l'excitait au plus haut point, et si l'envie de la mettre dans son lit le taraudait, il savait en revanche que ce serait une belle erreur. Les femmes prêtes à passer une nuit avec lui ne manquaient pas, mais il n'existait qu'une seule Merlina Rossi, et il était hors de question de la perdre.

L'idée qui lui avait traversé l'esprit la veille au soir l'enchantait. Merlina allait infailliblement en perdre son sang-froid, et il avait hâte de la voir se consumer de rage contenue.

Merlina vérifia sa tenue dans la glace de sa penderie. Les jupes amples et longues étaient à la mode et tant mieux : c'était une bonne alternative aux minijupes moulantes qui l'exposaient au regard des hommes, et à celui de Jake Devila en particulier. Pour tout dire, la longueur de sa jupe n'y changerait rien : son patron ne manquerait pas de l'examiner sous toutes les coutures d'un œil satisfait, comme s'il se sentait personnellement responsable de sa nouvelle apparence. Cette attitude l'horripilait, mais elle n'en laissait évidemment rien paraître. Pourtant, elle avait beau se répéter qu'elle ne s'habillait pas ainsi pour lui mais pour le travail, elle savait en son for intérieur qu'elle prenait plaisir à montrer sa féminité devant lui et à sentir la tension érotique grandir entre eux.

Mais au fond, ce petit jeu n'avait rien de bon. Il occupait trop son esprit et l'empêchait de s'intéresser aux autres hommes. La trentaine approchait, et toute sa vie s'articulait autour de ce casanova que l'idée de mariage et de paternité faisait fuir. Pour elle, il incarnait l'image du parfait célibataire : il était beau à se damner, de grands yeux noirs brillants d'intelligence, des cils longs à faire pâmer les femmes, des cheveux épais et bruns, si soyeux qu'ils invitaient à la caresse, un nez droit, un menton carré, volontaire, une bouche sensuelle, à la moue toujours provocatrice... Sans compter qu'il avait le corps d'un athlète. Grand, des épaules larges et musclées, pas le moindre soupçon de graisse superflue...

Jake était né avec une cuiller en argent dans la bouche, Merlina le savait. Issu d'une famille déjà aisée, il avait néanmoins monté sa société tout seul et dirigeait maintenant une entreprise très prospère. A trente-cinq ans, il avait le monde à ses pieds, et toutes les femmes qu'il désirait : mannequins, actrices en vue, femmes du monde, stars du petit écran... Il les séduisait toutes.

Merlina avait très vite saisi le petit jeu de Jake : il aimait lui lancer des défis impossibles pour voir si elle était capable de les relever. D'ailleurs, elle ne pouvait s'empêcher de ressentir une certaine fierté à rester digne et efficace en toutes circonstances, même quand il cherchait de toute évidence à la faire enrager. Mais peine perdue pour lui : elle ne lui offrirait pas le plaisir de la voir capituler. Hors de question ! Seulement, elle se rendait compte que cette relation ambiguë avec son patron l'obsédait jour et nuit. Elle devait reconnaître qu'il avait apporté un peu de piment dans son existence jusqu'ici bien morne ; elle admirait sa vivacité d'esprit et l'enthousiasme avec lequel il affrontait les situations les plus complexes. Sa générosité quand il récompensait les employés qui proposaient des idées intéressantes lui inspirait également beaucoup de respect. Sa présence l'exaltait. Il y avait tant de choses chez lui qu'elle aimait… et qu'elle détestait !

Elle soupira. Au fond, qu'importait ? De toute façon, il ne la considérerait jamais comme une partenaire potentielle.

Malgré tout cela, il avait réussi à lui faire tourner la tête, tant et si bien qu'elle ne savait plus où elle en était. Et elle sentait qu'elle allait devoir agir pour se sortir de ce guêpier. Elle allait fêter ses trente ans, et il était grand temps pour elle de se trouver un homme sérieux avec qui fonder une famille. Son père ne manquait jamais de lui rappeler qu'elle était plus qu'en âge d'élever des enfants et qu'elle avait déjà perdu assez de temps à mener sa carrière professionnelle.

Ses sœurs étaient toutes mariées avec des enfants. Idem pour ses frères. L'envie ne lui en manquait pas, certes, mais c'était à elle de choisir le bon moment, pas à sa famille, comme elle l'avait répété à son père. Cela faisait des années qu'elle était indépendante, et elle n'avait pas besoin de leur aide pour trouver l'âme sœur.

Sauf qu'en présence de Jake, ce sentiment d'indépendance volait en éclats. Pourquoi fallait-il qu'elle soit attirée par son patron, qui représentait tout le contraire de ce qu'elle attendait chez un homme ? Elle devait se ressaisir, et vite, car ce n'était certainement pas lui qui lui offrirait l'avenir dont elle rêvait secrètement, se dit-elle en se lançant un dernier regard déterminé dans la glace.

— Merlina ! appela sa sœur. Qu'est-ce que tu fabriques ? Tes crêpes refroidissent.

— Je t'ai dit que je n'en voulais pas, Sylvana, répondit-elle d'une voix agacée avant d'attraper son sac à main et de se diriger vers le salon de son petit appartement.

— Tu es trop maigre. Mange un peu.

Merlina serra les mâchoires. Toute sa famille lui répétait à longueur de temps qu'elle devait manger, et elle en avait assez. Ils avaient simplement tous tendance à l'embonpoint et certes, en comparaison, elle était mince. Et puis, les tenues qu'elle portait au bureau ne permettaient pas le moindre excès de poids.

— J'ai déjà mangé un yaourt et des fruits, je ne veux rien d'autre, déclara-t-elle à Sylvana, qui était venue à Sydney pour se faire opérer de sa myopie et avait passé la nuit chez elle.

Sylvana, assise au bar de la cuisine américaine, savourait avec un plaisir évident une pile de crêpes dégoulinantes de sirop d'érable. Déjà bien ronde — et bientôt dodue, songea Merlina avant de se diriger vers la porte.

— Je dois y aller, déclara-t-elle. J'espère que l'opération va bien se passer et que tu n'auras plus à porter de lunettes.

Sylvana, une pleine fourchette de crêpes au sirop au bord des lèvres, s'immobilisa brusquement.

— Tu ne vas tout de même pas porter ça au bureau ?

Elle faisait visiblement allusion à la tenue que Merlina avait mis tant de soin à choisir quelques instants plus tôt. Une longue jupe ample à motifs floraux verts et roses, une ceinture tressée couleur nacre autour des hanches, un petit débardeur en coton vert émeraude, de longs colliers en or à son cou, des créoles aux oreilles et des sandales hautes de la même couleur que son haut.

Sylvana, elle, portait sa tenue habituelle : pantalon noir montant, T-shirt assez large pour dissimuler ses bourrelets disgracieux.

— Je suis obligée de porter ce genre d'habits au bureau, répliqua-t-elle avec humeur.

— Quoi ? On te force à te découvrir comme ça ?

— C'est une jupe taille basse, et je te signale que c'est très tendance en ce moment.

— Mais on voit presque ton nombril !

— Et après ?

— Papa ferait une syncope s'il te voyait attifée de la sorte.

— C'est une grande ville, ici. Contrairement à la province, il n'y a pas de mégères pour parler derrière mon dos, et tu n'as pas intérêt à jaser à ton retour là-bas. Compris ?

Sylvana haussa les épaules et soupira. De deux ans plus jeune que Merlina, elle était déjà mariée avec de jeunes enfants et se croyait en droit de faire la leçon à son aînée toujours célibataire.

— Dire que tu as coupé tes beaux cheveux longs pour ce boulot, continua-t-elle. Je n'ai pas l'impression que travailler là-bas te fasse du bien.

— C'est *mon* choix, riposta Merlina, agacée de l'insistance de sa sœur, même si elle-même en était arrivée aux mêmes conclusions pour des raisons différentes. Bon, j'y vais. Vérifie que tu as bien fermé la porte avant de partir, et embrasse toute la famille pour moi.

— Oh, ne prends pas cet air offusqué ! Attends ! lui lança sa sœur avant de sauter de son tabouret et de l'envelopper de ses deux bras bien potelés. Je ne voulais pas te mettre en colère. Je m'inquiète pour toi, c'est tout.

— Alors essaye de ne pas me transformer en quelqu'un que je ne suis pas. Nous sommes différentes, c'est tout. J'aime ma coupe de cheveux, j'aime ma tenue, j'aime mon travail. D'accord ? dit-elle en embrassant sa sœur sur la joue. Au revoir et bonne chance pour l'opération.

— Merlina ! lui cria Sylvana alors qu'elle allait refermer la porte derrière elle. Sais-tu que ta jupe est transparente ? Tu devrais porter un jupon, et…

Merlina dévala l'escalier à toute vitesse pour ne pas entendre ce qu'elle savait déjà très bien. Tout ça à cause de ce Jake Devila ! Pourtant, les exigences de ce dernier ne lui avaient pas causé que du tort : cela l'avait forcée à surmonter ses complexes et à apprécier davantage son corps. Elle avait toujours envié ces filles fières de leur apparence et rêvé de se sentir aussi libre qu'elles. Son travail lui permettait à présent de goûter à cette liberté. Bien sûr, il ne s'agissait pas non plus de pousser trop loin la provocation. Elle n'allait tout de même pas jusqu'à porter un string sous sa jupe ! D'ailleurs, à la plage, sa pudeur l'empêchait de porter autre chose qu'un maillot une pièce.

Sylvana, en bonne italienne, était un peu trop rigide. Merlina décida qu'elle ne devait pas se sentir coupable de porter des tenues de son temps et de son âge. Oui, couper ses cheveux si longs l'avait d'abord peinée. Mais maintenant, sa frange et les petites boucles folles qui encadraient son visage ne lui déplaisaient pas, bien au contraire.

Jake l'avait poussée à changer de style, mais elle se l'était approprié depuis. C'était bien elle, et elle s'aimait ainsi. Elle devait reconnaître qu'elle se sentait plutôt bien depuis qu'elle travaillait pour lui. Pourtant, tandis qu'elle montait dans le train qui la menait vers les bureaux de *Signature Sounds*, au cœur de Sydney, Merlina se répéta que tout ceci devait prendre fin.

Bientôt. Très bientôt.

# 2.

Décidément, la vie était bien agréable, songea Jake avec un sourire satisfait. Il était confortablement installé dans son fauteuil de cuir bleu clair, les pieds posés sur son grand bureau laqué.

Merlina, bien évidemment, n'approuvait pas cette attitude au bureau, et d'ici quelques minutes, elle n'allait pas tarder à arriver et à faire la moue jusqu'à ce qu'il retire ses pieds de la table. Oui, elle avait des principes, et aurait sûrement fait une excellente maîtresse d'école, ou une impitoyable gouvernante !

Jake laissa son regard dériver vers l'immense baie vitrée qui offrait une vue imprenable du pont de Sydney, où quelques grimpeurs progressaient vers le sommet de l'arche. D'en haut, la vue y était absolument renversante, et Jake pensa que lui aussi, un jour, devrait l'escalader. Un autre défi à relever…

Soudain, il fut tiré de ses songes par des coups légers frappés à sa porte. Il vit Merlina entrer et poser un regard contrarié sur lui, une expression sévère à la Mary Poppins sur le visage. Au bout de quelques secondes, il consentit à retirer ses pieds de son bureau, non sans adresser à la jeune femme un petit sourire narquois. La comparaison avec la célèbre gouvernante s'arrêtait pourtant là, car si l'expression de Merlina dénotait d'une certaine austérité, le reste de son apparence était bien plus séduisant…

— Très… très joli, commenta-t-il, les yeux rivés sur la silhouette de la jeune femme, mise en valeur par le tissu presque transparent de sa jupe.

*Très excitant, même.* Mais il se retint bien d'ajouter ce dernier commentaire : il ne tenait pas à ce que Merlina lui intente un procès pour harcèlement sexuel.

— Bonjour, Jake, dit la jeune femme d'un ton guindé.

Elle suivait à la lettre ses recommandations sur la façon de s'habiller au bureau, se félicita-t-il. Mais cela ne suffisait pas. Aujourd'hui, il avait un nouveau défi pour elle.

— Bonjour, Merlina ! lui répondit-il avec bonne humeur. J'ai quelques idées à vous soumettre. Prête à prendre des notes ? Asseyez-vous.

Son carnet plaqué contre son buste tel un bouclier, Merlina s'assit dans un des fauteuils profonds qu'il lui désignait, même si, il le savait très bien, elle aurait sûrement préféré une chaise à dossier droit. D'ailleurs, elle resta assise tout au bord et croisa les jambes pour pouvoir y appuyer son calepin. Jake s'aperçut non sans plaisir que le haut de ses cuisses était visible sous le tissu vaporeux de sa jupe fleurie.

— Je suis prête, déclara-t-elle d'une voix forte, comme pour le tirer de sa contemplation.

Jake leva les yeux vers son visage et lui sourit.

— Comme toujours, murmura-t-il. Voici donc le programme pour aujourd'hui…

Et son sourire s'agrandit de plus belle.

*
* *

« Je le déteste… »

Merlina retourna plusieurs fois la petite phrase dans sa tête. Jake Devila n'allait-il donc jamais la prendre au sérieux et la considérer autrement qu'un divertissement ? songea-t-elle avec agacement. Il se fichait bien de ce qu'elle pouvait ressentir, tandis qu'elle se tenait assise devant lui, le cœur battant la chamade et le ventre noué parce qu'il l'avait simplement observée de la tête aux pieds, un sourire ravageur sur le visage. Mais elle n'était pourtant pas dupe : ce sourire cachait sans aucun doute une autre de ses pensées diaboliques.

Il s'avança dans son fauteuil et posa les coudes sur son bureau. Ses yeux brillaient d'une étrange lueur, et elle attendit, comme hypnotisée, qu'il lui expose ses réflexions. Elle n'était qu'une marionnette qu'il manipulait à son aise, songea-t-elle. Un jour ou l'autre, il lui faudrait bien sortir de ce piège dans lequel il l'avait enfermée, il en allait de sa survie. Mais pour l'instant, rien n'y faisait : elle était pendue à ses lèvres, brûlant d'entendre ce qu'il avait encore tramé.

— Ce matin : réunion, commença-t-il. Tous les départements doivent y assister. J'aimerais qu'on réfléchisse à des stratégies marketing pour le marché des seniors.

Merlina acquiesça, soulagée qu'il adopte enfin un ton professionnel.

— A quelle heure souhaitez-vous que je réunisse tout le monde ? lui demanda-t-elle d'une voix égale.

— 11 h 15. Après la pause-café et avant le déjeuner, pour qu'ils profitent du repas pour en discuter.

— Entendu. Autre chose avant que j'envoie un mémo à tout le monde ?

— Oui, j'ai encore quelque chose pour vous…, annonça-t-il avec un regard espiègle qu'elle s'efforça d'ignorer.

Jake se renversa dans son fauteuil et croisa les mains sur son torse.

— C'est bientôt l'anniversaire de mon grand-père..., commença-t-il.

« Et c'est bientôt le mien... », ajouta-t-elle silencieusement.

— Il va avoir quatre-vingts ans.

« Et moi, trente. »

— J'ai envie de lui préparer quelque chose de spécial.

Il fit une pause, comme s'il attendait de voir sa réaction, tel un aigle observant sa proie. Impassible, Merlina posa sur lui un regard délibérément vide de toute émotion. Elle n'allait pas le laisser jouer avec elle, ce matin, décida-t-elle. Mais comme le silence s'éternisait, elle finit par perdre patience.

— Voulez-vous que je trouve des idées ? demanda-t-elle avec une pointe d'irritation.

Jake partit d'un grand rire.

— J'ai bien peur que vous ne soyez pas vraiment au courant des goûts de mon grand-père, Merlina. Il boit du champagne au petit déjeuner, si vous voyez ce que je veux dire. Quand j'étais petit, il tenait à ce que je le surnomme « Pop » plutôt que « Papi », à cause du bruit que faisaient les bouteilles qu'il débouchait.

Soudain, Merlina se rappela comment Byron Devila avait défrayé la chronique avec ses mariages à répétition, tel un Henri VIII des temps modernes. D'ailleurs, Jake tenait sûrement de lui son côté play-boy. Sauf qu'il existait une différence notoire : le grand-père de Jake épousait ses conquêtes, *lui*. Après tout, peut-être n'était-ce qu'une question d'époque.

— Je voudrais que vous commandiez un gâteau..., reprit Jake.

— Un gâteau, bien, répéta-t-elle en prenant note dans son calepin.

— Un gâteau très spécial. Une pièce montée de huit étages, précisa-t-il. Un pour chaque décennie de sa vie.

Merlina inscrivit « huit étages ». Elle trouvait cela un peu excessif, mais son rôle consistait à satisfaire les désirs de son patron, pas à les critiquer.

— Et il faudrait quatre-vingts bougies.

— Ça va lui demander beaucoup d'effort d'en souffler autant, fit-elle remarquer.

— Oh, vous savez, mon grand-père est encore vaillant, répondit-il de but en blanc.

Elle lui lança un regard incrédule.

— Vous voulez vraiment l'épuiser le jour de son anniversaire ?

Jake sourit.

— Quelle délicate attention de vous soucier ainsi de son bien-être, Merlina. Mais ne vous inquiétez pas : les bougies seront fausses.

— Des bougies décoratives, alors ? Qu'on n'allume pas ?

— Décoratives, c'est ça. Très décoratives.

Merlina leva les yeux au ciel et nota « bougies décoratives » dans son carnet.

— Oui, elles seront fausses, continua Jake avec un air mystérieux. Tout comme le gâteau.

« Où voulait-il en venir ? » se demanda Merlina, au bord de la crise de nerfs. Elle serra les doigts autour de son stylo et leva très lentement le regard sur son patron.

— Pouvez-vous être plus clair ? lui demanda-t-elle d'une voix blanche.

Le rire de Jake s'éleva dans la pièce et vint résonner à ses oreilles d'une manière insupportable. Comme elle le détestait ! ragea-t-elle intérieurement. Et comme elle le détestait pour le trouble qu'il faisait naître en elle ! Chaque parcelle de son corps vibrait lorsque son rire clair et joyeux donnait à son beau visage encore plus d'expressivité.

« Je suis envoûtée, se dit-elle. Et je dois trouver un moyen, n'importe lequel, pour libérer mon âme de cet homme et m'en débarrasser pour de bon. »

— Quelles dimensions voudriez-vous qu'il ait ? s'enquit-elle.

— Je pense que deux mètres de haut devraient suffire. Il devra être assez large pour qu'une femme puisse en sortir.

« Une femme ! Il voulait donc qu'une femme sorte du gâteau ! Légèrement vêtue, à n'en pas douter... »

— Merlina ? Vous ne notez plus mes instructions ?

— Je vais les garder à la mémoire, lui assura-t-elle avec froideur.

— Du moment que vous parvenez à tout organiser...

— Ne vous en faites pas.

— Parfait. Bon, maintenant, parlons de la femme.

Quel genre de créature allait-il lui demander de trouver ?

— Il nous faut une blonde.

Evidemment ! Jake avait manifestement hérité des goûts de son grand-père en matière de femmes...

— Une femme avec de belles courbes, comme vous, Merlina, continua-t-il sans se départir de son sourire. Une vraie Marilyn.

Un vertigineux frisson s'empara d'elle. Voilà qu'à

présent, il la comparait à la plus divine de toutes les actrices !

— Pop n'aime pas les femmes minces, précisa-t-il.

Jake, lui, les aimait. Aucun doute là-dessus. Et avec ses courbes, elle n'avait aucune chance d'éveiller son intérêt.

— Vous devriez sans problème pouvoir louer les services d'une de ces *pin-up* qu'on voit dans les magazines de charme, suggéra Jake.

Une fois encore, Merlina ne put s'empêcher de lui dire le fond de sa pensée.

— Vous rendez-vous compte que ce genre de numéro est vraiment vieux jeu ? Sans parler du fait qu'il encourage le machisme de la pire espèce.

— Absolument, acquiesça-t-il. D'ailleurs mon grand-père croit encore au mariage, pensez donc ! Si ça, ce n'est pas vieux jeu… Il va adorer ce numéro, croyez-moi. Il figure dans son film préféré.

— Lequel ? Si je parviens à le trouver, je le regarderai pour comprendre exactement ce que vous avez en tête.

— Il s'appelle *Comment tuer votre femme*, avec Jack Lemmon et Virna Lisi.

— Je vois pourquoi c'est son film préféré, risqua-t-elle avec une moue ironique. Il s'est marié sept fois, si j'ai bonne mémoire.

— Exact. Et son septième divorce vient d'être prononcé, confirma Jake.

« Et vous ? A combien d'aventures en êtes vous ? » brûlait-elle de lui demander.

— Le titre est trompeur, reprit Jake. En fait, c'est une comédie. Jack Lemmon assiste à une fête, et on apporte un gros gâteau. Virna Lisi en sort brusquement, leurs regards se croisent, et *vlan !* C'est la fin de sa vie de célibataire.

Merlina sentit un pincement au cœur. Elle aurait tant aimé que Jake ressente la même chose en la voyant… Mais elle en demandait sûrement trop. Pourtant, une folle idée venait de germer dans son esprit et lui redonnait un peu d'espoir, après les dix-huit mois maussades qu'elle venait de passer à ce poste.

— Que porte Virna Lisi quand elle émerge du gâteau ?

— Un Bikini fait de fleurs, répondit Jake d'un air songeur. Très féminin.

Merlina sourit. Oui, elle pouvait le faire… Elle en était capable. Et après ce coup d'éclat, elle pourrait démissionner la tête haute.

Jake fronça les sourcils devant l'air soudain radieux de Merlina. Il décroisa les jambes et se leva.

— Parfait, déclara-t-elle en souriant. Maintenant que je visualise mieux la scène, je me mets au travail.

Jake parut abasourdi.

— Quelle est la date de son anniversaire ? demanda-t-elle.

— C'est le mois prochain. Le 14 février. Le jour de la Saint-Valentin.

— Alors, peut-être devrions-nous donner aux étages du gâteau une forme de cœur, proposa-t-elle d'une voix enjouée.

Jake se pencha en avant et posa sur elle un regard pénétrant, comme s'il essayait de décrypter ses pensées. Selon toute apparence, il n'avait pas prévu de la voir réagir aussi bien, et Merlina se délectait de cette petite victoire.

— La Saint-Valentin, c'est la fête des amoureux,

lança-t-elle avec bonne humeur. Des cœurs et des fleurs, entendu ?

Il soupira et s'enfonça dans son fauteuil avec un air abattu.

— Entendu. Je suis sûr que vous ferez ça pour moi, n'est-ce pas ?

— Oh oui ! Ne vous en faites pas, Jake.

Elle se dirigea vers la porte.

— Et n'oubliez pas la réunion de ce matin, lui rappela Jake, d'un air mi-figue mi-raisin.

— Je n'oublie jamais rien, répliqua-t-elle avant de refermer la porte derrière elle.

Frustré, Jake la regarda quitter son bureau. D'une manière inexplicable, Merlina avait réussi à retourner la situation en sa faveur. Elle était assurément la femme la plus imprévisible de son entourage !

Pourtant, il avait cru jusqu'au bout la voir exploser de rage devant l'arrogance et l'impertinence dont il faisait preuve à son égard. Mais il était hors de question qu'il se laisse battre de la sorte ! Il allait la pousser à lui montrer qui était la vraie Merlina, coûte que coûte. Ce n'était qu'une question de temps.

# 3.

Jake s'émerveillait du talent de son grand-père pour faire la fête. Sa vénérable propriété et son domaine soigneusement entretenus avaient été conçus pour accueillir une véritable foule d'invités. A quatre-vingts ans, Byron Devila incarnait toujours l'hôte idéal, et il le prouvait une fois encore cet après-midi. Le vieil homme n'avait en outre rien perdu de son charisme. En ce jour était non seulement rassemblé le gratin de Sydney, mais également le tout-Melbourne, sans compter maintes célébrités. Jake nota que la famille Devila avait également répondu en nombre à l'invitation : quatre générations étaient réunies. Partout où il allait, il tombait sur un parent plus ou moins éloigné, qu'il connaissait en général à peine, tant les divorces avaient fragmenté sa famille.

— Ton grand-père est un romantique dans l'âme, dis-moi ! s'exclama sa partenaire du moment, Vanessa Hall, un mannequin en vogue.

La jeune femme huma avec délices le parfum de la rose rouge qu'on lui avait offerte à l'entrée, comme à toutes les invitées.

Un sourire narquois se dessina sur les lèvres de Jake.

— C'est sûr, il sait comment toucher le cœur des femmes…

Merlina avait vu juste quant au thème de la Saint-Valentin : son grand-père l'avait en effet mis à l'honneur pour son anniversaire. Le fleuriste qui avait livré les gigantesques bouquets de roses présents dans chaque pièce avait dû gagner une véritable fortune avec cette commande, pensa-t-il. Des plateaux en argent remplis de chocolats belges en forme de cœur circulaient parmi les invités, et le champagne coulait à flots. Sur une estrade, un quatuor à cordes jouait de vieux airs romantiques. Partout, l'amour était à l'honneur.

— Vraiment réussie, cette réception à l'anglaise ! reprit Vanessa d'une voix enjouée. J'adore me déguiser comme ça, c'est tellement féminin !

Avec ces dames abritées sous de grands et élégants chapeaux et ces messieurs vêtus de queues-de-pie, on se serait cru aux courses hippiques, parmi la haute société anglaise, songea Jake avec ironie.

— Tu es absolument magnifique, Vanessa, répondit-il sous le regard amoureux de la jeune femme, dont les cils maquillés de bleu papillotèrent de ravissement.

— Et toi, tu es vraiment splendide dans ton complet rayé, le complimenta-t-elle à son tour.

Ah, les joies du flirt ! pensa Jake. Néanmoins, rien ne valait les joutes verbales avec Merlina… Leurs querelles allaient lui manquer quand elle prendrait ses vacances. Nul doute que sa remplaçante provisoire ne pourrait se montrer aussi divertissante. Sans Merlina, le mois prochain allait s'avérer particulièrement fade.

Et ce n'était pas Vanessa qui allait le stimuler intellectuellement… Il fallait toutefois reconnaître que celle-ci constituait une partenaire sexuelle particulièrement aventureuse. Comment était Merlina au lit ? Sûrement pas aussi entreprenante… Parfois, pourtant, lorsqu'elle le foudroyait de son regard d'ambre, il croyait déceler une lueur de passion refoulée…

C'était le regard qu'elle lui avait lancé la veille, juste avant de quitter le bureau.

— Tout est prêt pour demain ? lui avait-il demandé.

— Si vous m'avez donné les bonnes instructions et si le gâteau n'arrive pas en retard, alors tout fonctionnera comme prévu, n'ayez crainte, avait-elle répondu, pleine d'assurance.

— La femme que vous avez engagée pour le numéro m'a coûté cher ! fit-il observer.

Les sourcils haussés dans une expression dédaigneuse, Merlina avait aussitôt pris la mouche.

— Sachez qu'on a dû faire des essayages avec le Bikini et plusieurs répétitions pour s'assurer que le mécanisme du gâteau fonctionnait bien. Et puis, je pense que votre grand-père appréciera un spectacle de qualité. Cela vous pose-t-il un problème, Jake ?

— Pas si cette femme se montre à la hauteur de sa rémunération.

— Eh bien, vous jugerez par vous-même demain.

Elle avait accompagné cette dernière remarque d'un regard de feu, plein de passion enfouie. Peut-être lui en voulait-elle de se voir confier une mission si peu respectable et le lui faisait-elle payer à sa façon ? D'ailleurs, le prix qu'elle lui avait annoncé importait peu. Seul le résultat comptait, et Jake savait qu'il pouvait compter sur le professionnalisme de Merlina. Néanmoins, cette discussion avait fait naître en lui une curiosité brûlante : de quoi avait l'air cette fameuse fille en Bikini ?

Jake jeta un regard circulaire autour de lui. Avec une

légère brise marine qui rafraîchissait la chaleur estivale, il faisait un temps splendide, idéal pour s'asseoir dehors et profiter de cette ambiance festive. Des parasols à rayures rouges et blanches ombrageaient les tables, disposées sur la pelouse pour l'heure du thé et recouvertes de nappes de dentelle blanche. Devant chaque chaise revêtue de lin rouge, on avait arrangé une assiette, une tasse et une soucoupe en porcelaine fine, ainsi que des couverts en argent scintillant et une serviette de lin blanc roulée dans un rond de serviette argenté.

Quand tout le monde fut installé, les serveurs placèrent au centre des tables des théières en argent et des présentoirs à étages chargés de petits sandwichs au concombre, de sablés au beurre, de biscuits aux dattes, de choux à la crème et autres délices. A entendre les cris de ravissement qui s'élevaient un peu partout dans le jardin, il semblait clair que la fête était réussie. On réclama des discours, diverses personnes s'exécutèrent. Jake attendit la dernière tournée de petits-fours, des fraises nappées de chocolat et de crème, avant de se lever de table pour lancer le signal de départ au personnel chargé d'apporter le gâteau surprise.

Il fit un signe discret à l'orchestre, qui se mit à jouer « Joyeux Anniversaire » tandis que le gâteau était amené sur une estrade. Il se dirigea alors vers la table de son grand-père, où se trouvaient également ses quatre filles, issues de quatre mariages différents, et leurs époux respectifs. La mère de Jake, elle, était seule. En effet, elle avait depuis bien longtemps quitté son mari, un musicien sans le sou qu'elle avait vite considéré comme une erreur de jeunesse. A cinquante ans, elle était loin de paraître son âge. Ses cheveux blonds savamment colorés la rajeunissaient considérablement, et son visage était très peu ridé. La chirurgie esthétique et un portefeuille bien garni pouvaient vraiment faire des merveilles…

— Je t'ai réservé une surprise, Pop, annonça Jake.

— Fantastique ! J'adore les surprises !

Son grand-père semblait en pleine forme. Il ne cessait de sauter d'une table à l'autre, lançant des compliments à chacune des femmes de l'assemblée. Jake se demanda s'il avait déjà repéré une prochaine épouse parmi celles-ci, maintenant que son septième divorce était finalisé. Bel homme, il paraissait encore dans la fleur de l'âge, et ses yeux bruns n'avaient rien perdu de leur éclat. Les seules rides qui marquaient son visage étaient de charmantes pattes d'oies qui se plissaient lorsqu'il souriait, et si l'ovale de sa mâchoire avait peut-être perdu de sa fermeté, il le dissimulait avec succès sous une belle barbe poivre et sel taillée avec expertise. Son nez droit et fier et sa bouche bien dessinée ajoutaient à l'harmonie de ses traits, et ses sourcils bien fournis faisaient presque oublier le fait qu'il était pratiquement chauve.

— Si tu veux bien tourner ton siège face à la scène, lui proposa Jake, la surprise va apparaître d'une minute à l'autre.

— La scène ? s'étonna son grand-père en se levant, les yeux pétillant de curiosité. Tu as fait venir une troupe de danseuses ?

— Oh, papa ! le gronda la plus jeune de ses filles.

— Il ne s'assagira jamais, tu sais ! intervint une autre.

— Pourquoi le devrait-il ? remarqua la mère de Jake en adressant un sourire complice à son père.

— Hé ! Regardez un peu ça ! s'exclama soudain un des invités.

Tous les regards se tournèrent aussitôt vers la terrasse,

où une gigantesque pièce montée était manœuvrée sur la scène par quatre serveurs vêtus d'un T-shirt où se lisait « Joyeux Anniversaire », sur un fond blanc à cœurs rouges.

Sympathique détail, songea Jake en prenant note de complimenter Merlina dès son retour de vacances.

Son grand-père éclata de rire et envoya une grande tape dans le dos de Jake.

— Tu n'as pas osé, quand même ! s'écria-t-il.

— Et si ! répondit Jake, ravi de la joie de son grand-père.

— Sera-t-elle à la hauteur de Virna Lisi ?

— C'est ce que nous allons voir…

— Je brûle d'impatience.

« Et moi donc », se dit Jake. Avec ses fleurs, ses ornements de stuc et ses rubans de satin rouge, la pièce montée était un vrai chef-d'œuvre d'art décoratif. Des ampoules éclairaient les bougies, ce qui signifiait que l'intérieur du gâteau abritait un petit générateur. Encore une lumineuse idée de Merlina ! Jusque-là, elle avait réussi à surpasser le film.

— Huit étages, fit remarquer Jake. Un pour chaque décennie de ta vie, Pop.

— Et le meilleur reste à venir ! répliqua celui-ci d'une voix joyeuse.

Deux des serveurs déroulèrent un tapis rouge devant le gâteau.

— Et c'est parti ! s'écria Byron qui se plaça juste devant l'autre extrémité du tapis.

Un tapis rouge, évidemment ! pensa Jake. Décidément, l'initiative de Merlina lui valait bien une augmentation !

Il veilla à se placer juste derrière son grand-père pour avoir une vue d'ensemble. Un murmure d'excitation parcourut la foule rassemblée derrière lui. Il allait sans dire que ce numéro ferait parler de lui pendant longtemps…

Soudain, l'orchestre joua de nouveau l'air de « Joyeux Anniversaire », et le haut du dernier étage de la pièce montée s'ouvrit lentement. Tout le monde entonna la rengaine, tandis qu'une tête blonde émergeait lentement du gâteau. Une chevelure soyeuse dont les grosses boucles dorées rappelaient celles de Marilyn Monroe, et qui balayaient doucement les joues de la mystérieuse créature… Des paupières baissées et poudrées de gris, de longs cils bruns, une bouche pulpeuse…

Ce ne fut que lorsque le visage apparut en entier que Jake comprit. La femme qui se tenait devant lui n'était autre que Merlina Rossi !

Incroyable ! Le choc de cette vision anéantit aussitôt toute pensée logique chez lui. Jamais de sa vie il n'aurait pu imaginer son assistante, si prude et réservée, devenir le temps d'une soirée une *pin-up* sortant d'un gâteau ! Cela défiait l'entendement… Et pourtant, c'était bien elle qui exhibait à présent les courbes voluptueuses de son corps à la vue de tous.

Son Bikini était constitué de roses rouges. Et Jake ne put s'empêcher d'imaginer Merlina, nue sur un lit recouvert de pétales, des pétales qu'il se chargeait de disposer sur sa peau nacrée… Une vision délicieuse… et érotique en diable !

Elle arborait un cœur en satin rouge autour d'un bracelet de la même couleur. Le cœur de Jake, quant à lui, battait de plus en plus fort alors qu'il contemplait Merlina, qu'on voyait à présent en entier. Il nota qu'elle portait des talons aiguilles rouges.

— Ouah ! s'exclama son grand-père, le souffle visiblement coupé par cette apparition. Tu t'es surpassé, mon garçon !

Jake restait sans voix. Il n'avait pas entendu la fin de la chanson, pourtant l'orchestre avait dû s'arrêter de jouer, puisque les convives applaudissaient maintenant à tout rompre et que les sifflements admiratifs des hommes parvenaient à ses oreilles.

Son regard se porta de nouveau sur le visage de Merlina, qui leva lentement les paupières.

Et… *vlan* !

Ce fut comme si son regard le touchait en plein cœur. L'esprit en proie à la plus grande confusion, une pensée lui apparaissait pourtant clairement : sa relation avec Merlina Rossi ne serait plus jamais la même.

# 4.

Un immense sentiment de satisfaction envahit Merlina. Jack semblait totalement médusé. Paralysé par le choc, bouche bée, les yeux écarquillés, il fixait sur elle un regard dépourvu de toute malice, cette fois. Comme hypnotisé.

Une chose était sûre : elle lui avait cloué le bec grâce à son audace et à un simple Bikini, et elle pouvait se sentir fière d'avoir osé lui montrer de quoi elle était capable. Le nombre d'heures passées à élaborer ce plan avait enfin porté ses fruits. Libérée du joug que son patron avait jusque-là fait peser sur elle, elle pouvait désormais se permettre de démissionner avec fierté.

Mais avant toute chose, elle devait terminer son numéro sans trébucher ! Pourvu que les nombreuses répétitions qu'elle avait effectuées, chaussée de ses talons aiguilles rouges, lui permettent de descendre de ce gâteau sans encombre, supplia-t-elle intérieurement. A coup sûr, perdre l'équilibre gâcherait tout l'effet qu'elle avait réussi à produire.

Merlina s'efforça donc de fixer Byron Devila et d'adresser au vieil homme son sourire le plus chaleureux. En fait, il n'avait rien d'un vieil homme : il paraissait à peine friser la soixantaine. L'allégresse manifeste de Byron l'encouragea à avancer vers lui sur le tapis rouge.

Marilyn Monroe, voilà le modèle à imiter, songea-t-elle tandis qu'elle se rapprochait de Byron au son de l'orchestre. La musique accompagnait à merveille chacun de ses pas, et Merlina se félicita d'y avoir pensé : le silence n'aurait fait qu'augmenter sa nervosité, alors qu'elle sentait tous ces regards rivés sur elle.

Voilà ! Elle avait réussi à parcourir le tapis rouge, et se sentait merveilleusement bien. Jake n'avait pas cessé une seconde de la dévisager, et elle pouvait presque lire dans ses pensées. L'émotion qui s'empara d'elle n'avait plus rien à voir avec la peur d'échouer, au contraire : elle exultait à l'idée d'avoir pris ce perfide manipulateur à son propre piège.

Byron Devila la dévorait du regard, comme elle aurait tant aimé que Jake le fît : avec une évidente admiration et un intérêt indiscutable. Son enivrant triomphe la fit sourire de plus belle, et elle plongea un regard plein de malice dans celui du vieil homme, qui tendit les bras vers elle en signe de bienvenue. Merlina s'arrêta, défit le ruban attaché à son poignet et lui offrit le cœur en satin rouge.

— Joyeux anniversaire, monsieur Devila. Que votre cœur soit toujours empli de joie, lui dit-elle avec une expression radieuse.

— Il l'est déjà, mon enfant, lui assura-t-il en attachant le cœur à son propre poignet avant de prendre ses mains dans les siennes, visiblement ému. Et quel est votre nom, dites-moi ?

— Merlina, lui répondit-elle en articulant avec exagération, au cas où Jake n'aurait pas encore compris. Merlina Rossi.

— Merlina…, répéta le vieil homme. Un très beau prénom pour une très belle femme.

— Merci, monsieur Devila.

— Appelez-moi Byron.

— Merci, Byron.

— Bien, et maintenant, j'aimerais savoir autre chose, reprit-il avec un air malicieux. Voudriez-vous m'épouser ?

Merlina partit d'un grand rire. Plaisanterie ou non, elle ne pouvait s'empêcher de constater combien il était ironique de se voir demander en mariage par le grand-père de l'homme qu'elle désirait tant, qui plus est en présence de ce dernier.

— Tu exagères, Pop, intervint Jake sur un ton agacé. Tu viens juste de poser les yeux sur elle.

— Eh oui ! Le vrai coup de foudre. Il n'y a rien de tel ! s'esclaffa Byron sans la quitter un seul instant du regard. Merci d'avoir choisi Merlina pour moi, Jake.

— Je ne l'ai pas choisie ! s'emporta ce dernier. D'ailleurs, tu ne peux pas l'avoir. Elle est à moi !

— *A toi* ? répéta Byron, sourcils froncés. Je t'ai vu parader avec une jeune femme maigre comme un clou, et ce tout l'après-midi. Va la retrouver, mon garçon. Tu ne peux pas tout avoir, tu sais.

Exact, approuva Merlina en silence, agréablement surprise par la vivacité d'esprit de Byron.

— Merlina se trouve être mon assistante ! affirma Jake avec humeur.

— Merlina…, murmura Byron avec un air malicieux. Sais-tu que c'est la version féminine de Merlin, le grand sorcier ?

Il se tourna vers la jeune femme.

— Et vous m'avez en effet ensorcelée, ma chère…

Quelle éloquence ! songea Merlina, charmée par les paroles flatteuses du vieil homme. Pas étonnant qu'il ait réussi à persuader sept femmes de l'épouser !

— Dites-lui ! ordonna Jake en s'adressant à Merlina. Dites-lui que vous êtes mon assistante !

Merlina prit une longue inspiration et prit une expression faussement navrée.

— Je l'*étais* en effet. Mais je ne le suis plus.

— Qu'entendez-vous par là ? s'écria Jake, visiblement furieux.

— J'ai déposé ma lettre de démission sur votre bureau hier après-midi, Jake. Je n'ai plus à obéir, à vous obéir.

Le souffle coupé, Jake resta un instant sans rien dire, à la grande joie de Merlina, qui adressa un sourire rayonnant à Byron.

— Je suis donc libre de passer du temps avec vous.

— Bravo ! approuva celui-ci.

Mais Jake n'en avait pas terminé.

— Vous ne pouvez pas démissionner sans préavis, lui rappela-t-il. C'est contre le règlement, Merlina.

— Je considère qu'un mois de préavis est amplement suffisant. C'est d'ailleurs ce que stipule le règlement, répliqua-t-elle.

Le front plissé, Jake sembla soudain comprendre la situation.

— Et vous avez posé des congés d'un mois...

— Exact. Je mérite bien ces vacances, n'est-ce pas ?

Elle n'ajouta pas qu'il n'avait pas daigné lui en accorder pendant les dix-huit mois où elle avait travaillé pour lui !

— Fantastique ! se réjouit Byron. Où aimeriez-vous

passer vos vacances, Merlina ? Un seul mot de vous et je…

— Merlina…, murmura Jake entre ses dents avant de se tourner vers son grand-père. C'est une fausse blonde, tu sais ?

Etait-il devenu fou ? s'indigna Merlina. L'attaquer sur un point si personnel…

Byron se contenta cependant de lever les yeux au ciel.

— Tout comme ta petite amie maigrichonne, mon ami. D'ailleurs, fais-moi plaisir et retourne à ses côtés. Je comprends ta peine de devoir me céder Merlina, mais tu n'as visiblement pas su l'apprécier à sa juste valeur.

Ça, c'était envoyé ! se réjouit Merlina.

— Elle porte une perruque ! insista Jake d'une voix furieuse.

Quel coup bas ! Il était apparemment prêt à tout pour l'humilier… Heureusement, Byron, reprit d'un air enjoué.

— Très belle, la perruque ! Je me suis fait complètement avoir !

— C'est exactement ce qu'elle cherche à faire, Pop.

Ce dernier sourit de toutes ses dents.

— Rien de plus réjouissant que de se faire avoir par une jolie femme.

— Je l'ai mise pour vous faire plaisir, Byron, expliqua Merlina en lui rendant son sourire. Jake m'a dit que vous préfériez les blondes.

— Eh bien, je crois que je vais désormais préférer les brunes, déclara-t-il avant de lui offrir son bras. Et puisque c'est mon anniversaire, permettez-moi de vous convier à ma table où nous pourrons trinquer ensemble.

— Volontiers ! accepta-t-elle en battant des cils.

Byron lui tapota la main puis sourit avec bienveillance à son petit-fils.

— Merci, Jake. C'est le plus beau cadeau d'anniversaire que tu m'aies fait. Tu peux faire disparaître le gâteau, maintenant. Mais je garde Merlina.

Sur ces paroles, ils s'éloignèrent, bras dessus, bras dessous, vers les autres invités.

— Mon petit-fils semble vous agacer, est-ce que je me trompe ? lui demanda Byron avec un clin d'œil complice. Vous avez bien fait de lui en mettre plein la vue.

— C'est un peu vrai, oui, acquiesça-t-elle dans un sourire.

— Très bien joué, mon enfant. Je ne vois pas ce qu'il trouve à toutes ces maigrichonnes.

Merlina soupira.

— Ce n'est pas moi qui vais changer ça, Byron.

— Sottises ! Vous l'avez envoûté.

— Sur le coup, peut-être. Et j'avoue que ça m'a remonté le moral, lui confessa-t-elle timidement. Mais contrairement à vous, Jake fuit le mariage comme la peste. J'ai déjà assez perdu de temps à en rêver.

— Ce n'est surtout pas le moment d'abandonner, Merlina. Tenez bon, et vous verrez que vos efforts seront récompensés, lui conseilla-t-il. Il est grand temps que ce garçon se marie, et vous me semblez la candidate idéale. Jake a besoin d'une femme belle et spirituelle, une femme comme vous.

Merlina éclata de rire.

— Vous êtes adorable, Byron. Mais je ne pense pas que…

— Laissez-moi faire. Je suis un fin stratège dans ce domaine.

— Ça, je veux bien vous croire !

— Nous pouvons continuer notre petit jeu... Et je vais vous offrir une bague de fiançailles.

Merlina se figea, soudain incertaine de ce que sous-entendait le grand-père de Jake.

— Byron, vous êtes un homme charmant, mais je n'ai pas l'intention de vous épouser.

Il sourit avec bienveillance.

— Allons, ne vous inquiétez pas. Il ne s'agira que d'une mise en scène. Combien de temps avez-vous travaillé pour Jake ?

— Dix-huit mois.

— C'est bien assez pour s'enticher de vous, même s'il l'ignore encore.

Merlina secoua la tête.

— Détrompez-vous. Il a eu des dizaines d'aventures pendant ce temps.

— Ah, oui ! Il profite de sa vie insouciante tant qu'il le peut encore, soupira Byron. Mais il est temps de le rappeler à l'ordre. Soyez ma compagne le temps d'une semaine, pour voir si Jake mord à l'hameçon.

Merlina réfléchissait. Pour dire vrai, rendre Jake jaloux était une idée fort séduisante...

— Je vous promets que nous allons bien nous amuser, poursuivit Byron. Je vous emmènerai faire du shopping, nous irons au théâtre, au restaurant, comme un vrai couple de tourtereaux. Je vous parie que Jake ne restera pas indifférent.

— Vous êtes tout aussi diabolique que lui, Byron, le réprimanda-t-elle avec un sourire.

Mais une petite voix lui soufflait d'accepter ce marché. Pourquoi pas ? Une semaine à se faire choyer n'avait rien de désagréable, n'est-ce pas ? Et puis, elle méritait bien de se divertir avant de se remettre en quête d'un travail. Et si Jake se laissait vraiment berner par leur petit manège, alors…

— Il a hérité de mes gênes, affirma le vieil homme.

Une sonnette d'alarme résonna soudain dans l'esprit de Merlina. Byron Devila avait beau être octogénaire, il n'en était pas moins un redoutable séducteur. Elle lui jeta un regard soupçonneux.

— Vous devez me promettre de vous comporter en parfait gentleman.

Il rit de nouveau.

— Promis. Je sais ce que vous désirez, Merlina, et j'ai bien l'intention de vous y aider.

Elle décida alors de lui faire confiance, et se jeta à l'eau.

— D'accord. Marché conclu.

— Sage décision ! se réjouit Byron en se frottant les mains de plaisir. Quel bel anniversaire vous m'offrez ! Bien, et maintenant, laissez-moi vous présenter à la mère de Jake.

Et ils se dirigèrent vers sa table.

# 5.

Jake ruminait sa colère. Merlina… Merlina avait récolté tous les compliments pour cet anniversaire surprise, et la joie évidente de son grand-père ne faisait rien pour apaiser sa frustration. Elle avait concocté ce petit numéro pour se venger de ce qu'elle estimait être une idée machiste et pour lui annoncer sa démission ! L'idée qu'il n'allait plus la revoir lui ôtait l'envie de rire aux remarques de ses amis.

— Un coup de génie, Jake ! déclara l'un d'eux. Un spectacle de première classe, cette Marilyn couverte de roses !

— Une vraie bombe ! La luxure incarnée…

— On est vraiment tenté d'aller humer le parfum de cette fleur magnifique !

— Ton grand-père n'a d'ailleurs pas su y résister, hein, Jake !

— Où l'as-tu dégotée ?

— Je parie qu'elle t'a coûté une petite fortune.

Oh oui ! Bien plus que ce qu'ils pouvaient imaginer, pensa Jake en grimaçant. Car le départ de son assistante représentait en effet davantage qu'une simple perte financière : elle laissait un vide dans sa vie…

C'est alors qu'il se souvint de la somme qu'elle lui avait

réclamée pour la prestation de la prétendue *pin-up*. C'était l'ultime injure ! Il faillit s'étouffer de rage en prenant toute la mesure du tour qu'elle venait de lui jouer.

— Je n'ai pas regardé à la dépense, prétendit-il en faisant un effort surhumain pour ne pas laisser paraître sa colère. Je voulais juste faire plaisir à mon grand-père.

Et faire enrager Merlina, ajouta-t-il pour lui-même. Sauf que c'était elle qui l'avait mis en rage. Et avec quelle intensité !

— Eh bien, on peut dire que tu as réussi, commenta soudain Vanessa en désignant la table de Byron. Il a l'air emballé.

Son grand-père, tout sourires, présentait Merlina, radieuse, à la mère et à la tante de Jake. Ce dernier serra les poings sous la table.

— Elle vaut bien la dépense, reprit un de ses amis. Alors, où l'as-tu pêchée, cette sirène ?

— Oh, assez ! intervint Vanessa avec une pointe de jalousie dans la voix. N'oubliez pas qu'il y a des femmes à cette table.

Ces dernières émirent un murmure d'approbation, même si la plupart semblaient trouver la scène amusante, contrairement à Vanessa. Jake comprit que cette dernière, d'habitude si sûre de son physique de sylphide, n'appréciait guère de se voir détrôner par une femme aux courbes plus voluptueuses que les siennes.

Il s'efforça de se montrer attentionné envers elle, mais le cœur n'y était pas. Elle ne lui faisait plus aucun effet. Et pour ce qui était de faire l'amour avec elle ce soir… Non, il n'en avait même plus envie. En fait, il n'avait envie que d'une chose : surveiller ce qui se passait entre Merlina et son grand-père. Car s'il n'avait pas l'intention de donner à son ex-assistante l'impression que son numéro l'avait mis sens dessus dessous, il ne parvenait pas davantage à se concentrer sur les conversations légères de Vanessa et de ses amis rassemblés autour de lui. Et le bruit de toutes ces bouteilles de champagne que l'on débouchait à tour de bras lui donnait la migraine.

Jake souffrit le martyre en attendant que s'achève la soirée. Enfin, les convives commencèrent à partir. Ses amis décidèrent de poursuivre la fête dans un bar à la mode, mais il refusa de les accompagner, prétextant un engagement ailleurs. Vanessa prit un air boudeur et ne prononça plus un mot. Il se demanda comment il avait pu la trouver si attirante auparavant. Cependant, sa fierté lui dictait de ne pas mettre fin à leur histoire tant que Merlina pouvait les voir.

Cette dernière, toujours accrochée au bras de son grand-père, disait au revoir aux invités. Elle jouait l'hôtesse à la perfection, constata Jake avec irritation.

Il passa le bras autour de la taille de Vanessa et se dirigea vers Byron et Merlina.

— Belle fête, n'est-ce pas, Pop ? dit-il avec un sourire forcé.

Son grand-père tendit la main vers lui et la lui serra avec chaleur.

— C'est grâce à toi, mon garçon. Je ne pourrai jamais te remercier assez.

— C'est vrai ! Le coup du gâteau était une idée de génie, ajouta Merlina d'une voix chantante. J'ai passé une soirée formidable.

Jake se raidit et planta son regard dans le sien.

— J'en suis ravi, répondit-il sans se départir de son sourire figé. Et tous mes compliments pour votre performance.

Il hésita, puis décida d'ajouter un dernier commentaire pour lui prouver qu'il savait être fair-play.

— Je vous souhaite beaucoup de réussite pour vos futurs projets, quels qu'ils soient, Merlina.

— Notre mariage, qui sait ? intervint Byron avec un clin d'œil.

— Oh, Byron ! s'exclama la jeune femme en serrant son bras plus fort, une expression mutine sur le visage.

Jake sentit son estomac se nouer. Un instinct sauvage se réveillait soudain en lui, et il eut toutes les peines du monde à ne pas arracher son assistante des bras de son grand-père.

— Quelqu'un vous raccompagne chez vous ? demanda-t-il à la jeune femme d'un air détaché.

Elle esquissa un sourire, une lueur sensuelle au fond de ses yeux d'ambre.

— C'est gentil, mais je n'en ai pas besoin. Byron m'a proposé de rester encore un peu ici, et sa compagnie est si agréable...

— Mais... et vos vêtements ? balbutia-t-il en l'imaginant déambuler dans ce Bikini minuscule pour le plaisir exclusif de son grand-père.

— J'ai apporté de quoi me changer, expliqua-t-elle sur un ton tranquille. Ne vous inquiétez pas pour moi, Jake.

— Mais il ne s'inquiète pas ! interrompit Vanessa d'un air pincé. Merci pour cette merveilleuse soirée, Byron.

— Ravi que vous vous soyez amusée, ma chère, répondit-il.

— Prends soin de toi, Pop, marmonna Jake entre ses dents avant d'entraîner Vanessa vers la sortie.

— Je vais plutôt prendre soin de Merlina ! s'écria son grand-père avec malice. Demain, nous allons faire du shopping, puis nous déjeunerons chez *Doyle's*, ce formidable restaurant de fruits de mer.

— Oh, vous me gâtez ! murmura Merlina dans l'oreille de son protecteur.

C'en était trop ! Hors de lui, Jake entraîna Vanessa vers la sortie.

— Ne marche pas si vite, protesta celle-ci. Je porte des talons aiguilles, tu sais !

— Tu n'as qu'à marcher pieds nus, maugréa-t-il sans plus faire aucun effort pour paraître calme et détaché.

Vanessa se figea sur place, rouge de colère.

— Tu la voulais pour toi, avoue-le !

L'accusation coupa Jake dans son élan.

— Pas du tout !

— Tu ne l'as pas lâchée d'une semelle depuis qu'elle est sortie de ce gâteau, et tu étais même sur le point de lui proposer de la ramener chez elle ! s'emporta Vanessa. Et maintenant, tu es furieux parce qu'elle te préfère Byron.

— Furieux ? répéta Jake, incrédule.

— Ne prétends pas le contraire ! Et ne compte pas sur moi pour remplacer cette fille. Au revoir, Jake ! Je rentre avec Tim et Fiona.

Menton relevé en signe de défi, elle lui tourna le dos, fit quelques pas puis se retourna une dernière fois.

— J'espère qu'elle deviendra ta grand-mère par alliance !

« Faites que cette chose ne se produise pas de mon vivant ! » s'écria intérieurement Jake.

Mais pour la première fois de sa vie, il ne savait que faire. Courir après Vanessa ne rimait à rien puisqu'il n'avait pas l'intention de rester avec elle. Mieux valait que leur histoire se termine ainsi.

Quant à Merlina... Non, il ne pouvait rester sur cette défaite et la laisser triompher ainsi.

Ce soir, il l'attendrait devant chez elle, et il ne la laisserait pas lui claquer la porte au nez !

Minuit venait de sonner... et elle n'était toujours pas là !

Jamais Jake n'avait éprouvé un tel désarroi. Merlina avait donc décidé de passer la nuit chez Byron...

Dans tous les cas, rien ne servait de faire le pied de grue devant sa porte. Si elle arrivait maintenant, il passerait simplement pour un imbécile malade de jalousie. Or, c'était faux. Il n'acceptait pas qu'elle tente de le déstabiliser, voilà tout. Mais il aurait le dernier mot.

Il se résolut à rentrer chez lui, fermement décidé à reprendre le dessus. Malheureusement, les choses ne se déroulèrent pas du tout comme il le voulait... Le lendemain, il tenta de joindre Merlina au téléphone, sans succès. Peut-être que Byron et elle étaient vraiment convenus de mettre leur projet à exécution et qu'ils étaient en ce moment même en train de faire du shopping ou de déjeuner chez *Doyle's*. A cette simple idée, une vague d'indignation l'envahit.

Il s'efforça cependant de se tranquilliser. Il allait bien finir par mettre la main sur Merlina !

La journée de lundi, au bureau, ne fit que renforcer son sentiment de frustration. Pas une seule fois il ne parvint à se montrer aimable envers sa nouvelle assistante. C'était une autre de ces jeunes femmes blondes et minces qui lui faisaient comprendre de manière trop ostentatoire qu'elles étaient disponibles. Merlina avait-elle fait exprès de lui dénicher une secrétaire qui correspondait à son type habituel de femmes ? Encore une humiliation !

Pour ajouter à son dépit, Merlina n'avait pas décroché une seule fois son téléphone quand il avait essayé de la joindre à son domicile. Se pouvait-il que… *Non !* Il ne pouvait l'imaginer amoureuse de son grand-père au point d'habiter chez lui. Il ne s'agissait que d'un jeu, n'est-ce pas ?

Il finit par téléphoner chez son grand-père.

— Ici Jake, annonça-t-il au domestique. Mon grand-père est-il là ?

— Non, M. Devila est sorti pour la journée.

Jake hésita à poser la question suivante, mais il devait en avoir le cœur net.

— Et Mlle Rossi ?

— Mlle Rossi l'accompagne.

Jake sentit sa mâchoire se crisper.

— Quand rentreront-ils ?

— Pour le dîner, j'imagine.

— Merci Harold, parvint-il tout juste à articuler. Je rappellerai plus tard.

— Dois-je leur laisser un message, Monsieur ?

— Non, ça ira.

*Leur* laisser un message ? se répéta Jake, incapable de rassembler ses pensées après ce bref échange. Comment allait-il pouvoir se concentrer sur son travail quand son esprit ne cessait de retourner la situation en tous sens ? Certes, son grand-père possédait assez d'argent pour offrir une vie de luxe à n'importe quelle femme… Mais Merlina ne pouvait tout de même pas envisager d'épouser un octogénaire !

Peut-être remplissait-elle de nouveau le rôle de secrétaire, mais cette fois auprès de son grand-père ? Nul doute que Byron se ferait un plaisir de la couvrir de petits cadeaux. Et Merlina prendrait son rôle à cœur, comme elle l'avait toujours fait…

Qu'ils aillent au diable ! se dit-il.

En fin de matinée, sa nouvelle assistante lui transmit un appel de Vanessa.

— Oui… Que puis-je faire pour toi ? demanda-t-il avec froideur, en prenant la ligne.

— Oh, je voulais juste te dire que j'avais assisté à un défilé ce matin… et devine qui était là, Jake ?

Il sentit un frisson courir le long de son dos.

— Byron et la *pin-up* de sa fête, ajouta-t-elle.

— Je suis sûr qu'ils s'amusaient bien.

— Ça oui ! Le champagne coulait à flots. Elle paradait avec un énorme solitaire au doigt. Quelle chance, Jake ! Tu vas avoir une splendide grand-mère…

# 6.

Merlina commençait à s'habituer à sa nouvelle vie. La chambre qu'elle occupait était d'un luxe extraordinaire, et depuis son arrivée dans la demeure de Byron, elle n'avait pas eu à remuer le petit doigt : le personnel s'occupait de tout — cuisine, lessive, nettoyage, repassage et rangement. Son seul travail constituait à se faire belle et à accompagner Byron dans tous ses loisirs — et ces derniers étaient nombreux.

Cette semaine représentait un début de vacances particulièrement agréable, même si elle avait du mal à ne pas penser à Jake et à sa réaction face à sa soudaine démission. Comment s'en était-il sorti sans elle aujourd'hui ? L'assistante qu'elle lui avait trouvée, une blonde écervelée comme il les aimait, répondait-elle à ses attentes ?

Elle admira une fois encore la magnifique bague que Byron lui avait recommandé de porter, arguant que c'était là une contribution indispensable à leur mise en scène. Elle remua les doigts pour admirer les reflets scintillants de la fabuleuse pierre. Un objet exceptionnel, certes, mais tout l'or du monde n'aurait pu lui faire oublier ce qu'elle désirait au fond de son cœur…

Avec un soupir, elle saisit sa brosse à cheveux, bien décidée à ne pas laisser ces pensées gâcher sa bonne humeur. Pour le moment, elle devait faire son possible pour soigner son apparence et paraître heureuse auprès de Byron.

La perruque blonde avait fait des merveilles lors de la fête, mais elle préférait de loin sa teinte naturelle. Si Jake la trouvait moins séduisante en brune, tant pis pour lui, se dit-elle en haussant les épaules. Pour elle, ce genre de détail était sans importance. Seule comptait la qualité de la relation entre deux personnes. Une relation qui devait être assez solide pour faire durer un mariage.

Une fois maquillée, Merlina vérifia le résultat dans le miroir avant de descendre prendre l'apéritif avec Byron. Elle portait une des nouvelles robes achetées la veille, un foulard à pois beige et blanc et une large ceinture de cuir ouvragé autour de la taille. Elle aimait cette tenue à la fois chic et décontractée que venait compléter une élégante paire d'escarpins Ferragamo beige clair. Cela la changeait des jupes sexy que Jake exigeait qu'elle porte au bureau, ou des austères tailleurs noirs de son poste précédent, lorsque sa patronne refusait que quiconque lui vole la vedette. A présent, elle avait gagné assez d'assurance pour créer son propre style et arborer les tenues qui lui plaisaient.

Ne lui restait plus qu'à trouver un mari, bien que la perspective de rencontrer un homme qui lui plaise assez pour cela lui parût une tâche impossible. Après avoir connu Jake…

Elle secoua la tête. Inutile de faire des comparaisons. D'ailleurs, elle savait pertinemment qu'il n'avait pas l'étoffe d'un mari, même si Byron tenait à la persuader du contraire. A ses yeux, il suffisait d'insister pour faire comprendre à son petit-fils qu'elle représentait la femme idéale. Le vieil homme avait même réussi à faire renaître un peu d'espoir en elle… Cependant, quels que soient les résultats de leur petite comédie, elle devait se mettre en quête d'un nouveau travail. Il était hors de question de revenir en arrière, à présent. Avancer constituait désormais la seule option possible.

L'esprit léger, Merlina s'engagea dans l'escalier qui menait au grand salon, meublé de magnifiques canapés blancs. Au milieu des antiquités et des tapis chatoyants recouvrant le parquet ciré, ils produisaient un effet spectaculaire.

Elégamment vêtu d'un pantalon et d'une chemise en lin blanc, Byron l'accueillit avec une coupe de champagne, en la détaillant des pieds à la tête avec un sourire approbateur.

— Bonne nouvelle, ma chère ! s'exclama-t-il d'une voix triomphante. Harold vient de me dire que Jake a appelé cet après-midi et s'est enquis de *vous* !

Merlina sentit son pouls s'emballer. Ainsi, Jake ne l'avait pas encore complètement rayée de sa vie.

— Peut-être y a-t-il eu un problème au bureau, fit-elle observer, se forçant à faire preuve de bon sens.

Le sourire de Byron s'agrandit encore.

— Il a également demandé quand nous serions de retour. Je suis prêt à parier qu'il va nous rendre une petite visite ce soir…

— Il enrage simplement à l'idée de ne plus m'avoir à sa disposition, murmura Merlina, peu convaincue.

— Allons, cessez de tout voir en noir, la gronda gentiment le vieil homme, l'œil pétillant de malice. Il a sans aucun doute eu vent de la bague de fiançailles.

— Comment l'aurait-il appris aussi vite ?

— Gageons que Vanessa s'est empressée de lui dire.

— Pourquoi ferait-elle ça ?

— Parce qu'elle avait l'air bien dépitée de le voir vous dévorer du regard, samedi dernier. Faites-moi confiance, je connais les femmes.

Merlina ne put le contredire. Byron avait eu sept épouses et connu sans aucun doute de nombreuses autres femmes. D'un pas alerte, il s'avança vers elle, lui mit une coupe de champagne dans la main et fit tinter son verre contre le sien.

— A notre succès, mon enfant.

Mettre la charrue avant les bœufs pouvait s'avérer dangereux, songea Merlina. Néanmoins, elle était tentée de croire le vieil homme…

Ils avaient à peine entamé leur verre lorsque Harold apparut sur seuil de la porte.

— Je viens d'ouvrir la grille pour M. Jake, leur apprit-il.

— Parfait ! s'écria Byron. Il arrive à point nommé !

Merlina sentit un étrange frisson la parcourir des pieds à la tête.

Sans se départir de sa dignité de domestique, Harold adressa un sourire complice à son employeur.

— Vous serez donc trois pour dîner, n'est-ce pas, Monsieur ?

— Je doute que mon petit-fils soit d'humeur à rester bien longtemps, Harold. Veuillez attendre mes instructions.

— Très bien, Monsieur.

La cloche de la porte d'entrée retentit, et Harold disparut pour accueillir le visiteur.

— Cela n'a pas été long, commenta Byron avec une jubilation évidente. Jake a sans doute battu des records de vitesse pour accourir ici. Prête pour la bataille, Merlina ?

Celle-ci prit une longue inspiration dans l'espoir d'apaiser sa nervosité. Le moment de vérité était enfin arrivé ! L'attitude de Jake lui indiquerait à quel point il tenait ou non à elle.

— Que la fête commence ! répondit-elle avec détermination.

— Bravo ! s'écria Byron, dont la bienveillance et le charme l'aidèrent à trouver l'aplomb nécessaire pour faire face à Jake.

— Allons, buvez votre champagne, lui conseilla-t-il. Les bulles allégeront votre esprit.

— Vous avez raison ! acquiesça-t-elle avant d'avaler d'un trait le grisant nectar.

Pourtant, ce fut l'arrivée de Jake dans la pièce qui provoqua chez elle une ivresse telle qu'elle sentit chaque cellule de son corps se charger d'électricité.

— J'ai cru comprendre qu'il fallait vous féliciter, commença Jake sur un ton moqueur.

Le cœur de Merlina se mit à battre la chamade. Une sensation de picotement lui envahit le corps, et elle dut accomplir un effort surhumain pour se retourner et faire face à Jake.

— Tout juste, mon garçon, répondit Byron avec une incroyable aisance.

Merlina profita de l'intervention de son complice pour se ressaisir. Un sourire figé sur les lèvres, elle leva avec détachement la main gauche pour montrer à Jake la bague qui ornait son annulaire.

— Nous nous sommes fiancés ! dit-elle de sa voix la plus enjouée.

Jake se contenta de la fusiller du regard, ignorant la bague qu'il était censé admirer. Malgré sa tenue décontractée — jean et T-shirt — il n'avait jamais paru aussi tendu.

— Quelle bonne idée ! dit-il avec une ironie non dissimulée. Comme ça, vous n'aurez plus jamais à travailler.

L'insinuation la fit rougir jusqu'aux oreilles. Cette idée était on ne peut plus éloignée de la réalité, mais vu les circonstances, Jake avait le droit d'y penser. Si elle avouait la vérité maintenant, tout tomberait à l'eau, se rappela-t-elle.

L'éclat de rire de Byron la sortit de l'embarras.

— Tu sais bien qu'être mon épouse équivaut à un travail à plein temps, fit-il observer. Notre programme risque d'être très chargé avec, pour commencer, un long voyage autour du monde.

— Décidément, quel sens de l'organisation ! s'exclama Jake avec cynisme. Et maintenant, Pop, j'aimerais m'entretenir seul avec Merlina. Avec un peu de chance, j'espère qu'elle pourra m'aider à réparer le désordre que son départ a créé au bureau.

*Le bureau !* Il ne se souciait donc que de ça ! pensa Merlina avec tristesse.

— C'est à elle de décider, lui rappela Byron.

— Je pensais pourtant que ma remplaçante vous plairait, soupira Merlina avec impatience.

Les mâchoires de Jake se crispèrent.

— Bon, je vous laisse régler vos histoires de travail, intervint doucement Byron. Aimerais-tu dîner avec nous, mon garçon ? On trinquera à l'avenir…

— Non merci, refusa-t-il sur un ton sec. Je ne suis pas d'humeur à fêter la perte que je viens de subir.

— Je comprends. Une autre fois, peut-être ? Je vais prévenir Harold que tu ne resteras pas.

Dès que le vieil homme fut sorti, Merlina sentit la tension dans la pièce monter de plusieurs degrés. Elle regarda le fond de champagne qui restait dans son verre et regretta de n'avoir pas bu davantage pour se donner du courage. A présent, cette farce ne la faisait plus rire et lui semblait même absurde et vaine. Mais sa fierté lui dictait de tenir bon et de ne pas tout avouer à Jake.

— Je vois que vous avez déjà adapté votre garde-robe aux goûts de mon grand-père.

Le cynisme dans la voix de Jake réveilla sa colère.

— Je m'habille selon *mes* goûts. J'en ai assez de donner une fausse image de moi. Je ne suis plus votre… votre marionnette. Vous vous en moquez sûrement, mais la semaine dernière, il y a eu un autre anniversaire que celui de votre grand-père. Le mien. J'ai eu trente ans, et je n'ai plus à m'habiller comme une adolescente.

Elle reposa sa coupe de champagne sur la table basse et planta les poings sur ses hanches, le menton relevé en signe de défi.

— D'ailleurs, votre grand-père m'aime telle que je suis. Il apprécie tout chez moi, y compris mes cheveux bruns !

Jake haussa les sourcils et pointa un doigt dans sa direction.

— Je ne vous ai jamais demandé de changer de couleur de cheveux.

— C'est vrai. Vous avez seulement exigé que je les coupe. J'ai toujours aimé mes cheveux longs, mais vous n'avez même pas daigné me demander si cela me dérangeait. J'ai dû vous obéir pour ne pas perdre ma place. Dire que j'ai été assez stupide pour rêver de ce travail !

— *Stupide ?* répéta-t-il, incrédule. Ce poste était fait pour vous. Et vous aviez un bon salaire, sans parler de la prime que vous vous êtes accordée pour votre petit numéro de *pin-up*.

— Je l'ai méritée. Vous en avez eu pour votre argent, n'est-ce pas, Jake ?

— Certainement pas ! s'écria-t-il en levant les bras au ciel, visiblement exaspéré.

— Ah non ? Et que me reprochez-vous ? le défia-t-elle d'une voix calme.

Il serra les lèvres et lui adressa un regard furieux. Merlina voyait son torse se soulever au rythme de sa respiration saccadée.

— J'ai besoin de vous au bureau, admit-il enfin.

Elle croisa les bras sur sa poitrine, décidée à ne pas céder à sa demande. Hors de question de revenir travailler pour lui.

— Comment faisiez-vous avant moi ? Vous verrez, vous finirez par vous débrouiller, répliqua-t-elle avec froideur.

— Quel est votre prix ? s'enquit-il d'une voix blanche.

— Rien de ce que vous pourrez m'offrir ne me fera revenir.

Jake serra les poings comme s'il était pris d'une soudaine envie de l'étrangler. Il avait visiblement du mal à contenir la tempête qui faisait rage en lui, car il se mit à arpenter la pièce au pas de charge. Merlina restait parfaitement immobile et le toisait avec satisfaction. Combien de fois avait-elle voulu l'étrangler, elle ? se demanda-t-elle. Que c'était bon, pour une fois, de voir les rôles s'inverser ! Jake méritait de vivre le tourment qu'il lui avait fait subir durant ces longs mois…

— Vous n'allez tout de même pas épouser mon grand-père ! lui lança-t-il soudain, le regard plein de fureur, avant de secouer la tête. Comment pouvez-vous consentir à vous marier avec un si vieil homme ?

— Son cœur est encore jeune, répliqua-t-elle en soutenant son regard.

— Oui, mais il a un corps de quatre-vingts ans.

— Qu'il entretient à merveille, répondit-elle avec un haussement d'épaules.

— Vous n'allez pas me dire que vous le trouvez séduisant ?

— Votre grand-père est tout aussi séduisant que Sean Connery qui possède, comme vous le savez, d'innombrables admiratrices. Ils ont les mêmes yeux bruns malicieux, le même charme irrésistible, la même présence charismatique…

— Cela ne vous dérange donc pas de coucher avec lui ? l'interrompit-il. Un homme assez âgé pour être votre grand-père ?

Certes, cette idée la faisait frémir, mais elle n'allait pas se démonter et lui donner la satisfaction de remporter cette manche.

— Et pourquoi pas ? Byron connaît les femmes et sait comment leur faire plaisir.

Les yeux de Jake se rétrécirent soudain et furent traversés par une lueur mauvaise, tandis qu'il avançait vers elle.

— Peut-être manquez-vous d'expérience dans ce domaine, voilà tout, riposta-t-il. Car vous êtes une jeune fille de bonne famille, n'est-ce pas ?

Merlina serra les bras plus fort sur sa poitrine pour ne pas frissonner.

— Cela ne vous regarde pas ! finit-elle par lui répondre.

Il esquissa un sourire sensuel.

— Et si pense, moi, que ça me regarde ?

Merlina sentit la tête lui tourner tandis qu'il se rapprochait encore. Jamais elle n'avait été plus vulnérable devant l'irrépressible pouvoir d'attraction qu'il exerçait sur elle. S'il la touchait, s'il l'embrassait…

— Arrêtez-vous tout de suite, Jake Devila ! lui ordonna-t-elle.

Il se figea à quelques centimètres d'elle.

— Allons, chuchota-t-il. Vous savez qu'il y a toujours eu quelque chose entre nous. Avouez-le, c'était excitant, nos petits échanges enflammés, les défis que je vous lançais, que vous releviez…

— En effet, mais… Vous n'êtes qu'un coureur, Jake. J'ai trente ans, et moi, je veux me marier.

— Pourquoi ? Pour la sécurité ? Que c'est rasoir ! Ce qu'il vous faut, c'est…

— C'est fonder une famille, le coupa-t-elle avant qu'il ne puisse lui dire de quoi elle avait besoin.

Car, à coup sûr, ce qu'il allait lui proposer n'était rien d'autre qu'un peu de bon temps. Un flirt éphémère qui ferait d'elle une autre de ses nombreuses conquêtes. Or, elle n'allait certainement pas céder à la tentation…

— Vous voulez avoir des enfants avec mon grand-père ? s'exclama-t-il avec perplexité.

— Et après ? Charlie Chaplin a bien eu des enfants à quatre-vingts ans passés, argua-t-elle avec fougue. Et Byron a de beaux gènes à transmettre. Il n'y a qu'à vous regarder.

— Comment ça ?

— Vous êtes intelligent, créatif, beau garçon. Byron me donnera des enfants magnifiques.

— Je pourrais en faire tout autant, répliqua-t-il à brûle-pourpoint.

Un instant, elle en eut le souffle coupé.

— Sauf que vous ne voulez pas d'enfants !

— Qu'est-ce qui vous fait croire ça ?

— Vous en voulez, alors ?

L'espace d'un instant, la question le laissa bouche bée.

— Je n'y ai pas réfléchi, déclara-t-il finalement. Mais je pourrais y songer…

— Oui, y songer pendant combien d'années ?

Jake sembla hésiter.

— Moi, reprit-elle, je veux fonder une famille *maintenant*. Je n'ai pas de temps à perdre avec un play-boy de votre espèce. Sortez de ma vie, et ne revenez pas.

— Et vous céder à mon grand-père ? s'écria-t-il avec une expression soudain décidée, avant de la prendre dans ses bras, les yeux brûlant d'une fièvre ardente. Certainement pas ! Vous ne l'épouserez pas. Vous êtes à moi, Merlina Rossi ! A *moi* !

# 7.

Merlina fut si surprise qu'elle se trouva incapable de protester ou de faire le moindre geste de défense lorsqu'il s'empara de sa bouche, pour un baiser profond et intense. Au contraire... elle sentit naître en elle un délicieux frisson d'excitation.

Le rythme de son cœur s'accéléra follement, tandis que ses poumons se vidaient de leur air et qu'elle sentait son corps se mettre à trembler de façon incontrôlable. Sans plus penser rationnellement, elle lui rendit son baiser avec fougue, se délectant de l'onde de désir qu'elle sentait émaner de leurs deux corps pressés l'un contre l'autre. Elle perçut le battement ardent du cœur de Jake contre ses seins, la fermeté de ses cuisses musclées, la force de son désir contre son ventre...

*Il la désirait.*

A cette révélation, une joie intense éclata en elle. Puis elle sentit les mains de Jake glisser le long de son dos, de ses fesses... Elle perdait la tête... Elle avait oublié l'endroit où ils se trouvaient, l'heure qu'il était... Balayée, sa fierté ! Le plaisir inouï de sentir Jake contre elle avait tout emporté.

— Hum, hum !

Le toussotement semblait venir de très loin, un bruit

totalement étranger à cet instant de total abandon. Jake fut le premier à réagir. Il s'écarta comme à regret et se retourna.

— Excusez-moi, Monsieur, mais…

La voix calme et digne de Harold arracha Merlina à la spirale d'émotions et de pensées confuses qui se bousculaient dans son esprit. Peu à peu, elle prenait conscience de ce qu'elle venait de faire.

— M. Byron attend dans la bibliothèque, annonça Harold avec un incroyable détachement. Il aimerait savoir si ce… hum… tête-à-tête… est fini.

— Pas tout à fait, Harold, répondit Jake d'une voix rauque. Veuillez le prévenir que nous allons le rejoindre dans quelques instants.

Merlina profita de cette interruption pour rassembler ses idées.

— Très bien, Monsieur, conclut Harold d'une voix solennelle avant de refermer doucement la porte derrière lui.

Jake prit une longue inspiration avant de murmurer :

— Merlina ?

Elle aurait voulu qu'il lui parle, qu'il lui dise qu'il se sentait aussi bouleversé qu'elle par la force de la passion qui les avait saisis, quelques minutes plus tôt. Mais il se contentait de la regarder.

Il n'y avait pas de moquerie dans son regard, nota-t-elle. Pas un seul éclat de triomphe.

— J'ai envie de vous, et vous avez envie de moi, déclara-t-il d'une voix ferme. Vous ne pouvez donc pas épouser mon grand-père.

Il avait raison. Et de toute façon, elle n'avait jamais eu l'intention d'épouser Byron. Mais qu'en était-il de sa relation avec Jake ? Elle l'ignorait. Ce qu'elle savait en revanche, c'est que ce qui venait de se produire rendait impossible la petite comédie qu'ils avaient mise au point, Byron et elle. Le complot avait tourné court…

— Vous avez raison, soupira-t-elle. Je ne peux pas l'épouser.

— Bien ! acquiesça-t-il non sans un soulagement manifeste. Je suis heureux que les choses soient clarifiées.

Soudain, Merlina pensa que Jake n'avait agi ainsi que pour l'éloigner de son grand-père et l'avoir à sa disposition… au bureau !

— Mais il est hors de question que je revienne travailler avec vous, ajouta-t-elle alors avec détermination.

— Nous en reparlerons plus tard, répondit-il avec un geste impérieux. Pour l'instant, allons dans la bibliothèque annoncer la nouvelle. Le plus tôt sera le mieux.

Il lui prit le bras et se dirigea vers la porte, sans laisser à Merlina le temps de se ressaisir. Elle se figea net, incertaine de la réaction de Byron quand il apprendrait la suite des événements. Avant tout, il fallait qu'elle lui parle, et seule.

— Non ! Ne faites pas ça, s'écria-t-elle.

Jake fronça les sourcils.

— Faire quoi ?

— Je préfère lui parler en tête à tête.

— Vous allez avoir besoin de mon aide, insista-t-il.

Avait-il peur qu'elle change d'avis ? se demanda Merlina. Pas question de le laisser une fois encore lui imposer ses méthodes. Aujourd'hui, les règles du jeu avaient changé.

— Je m'en voudrais de solliciter votre aide dans une affaire aussi privée, argua-t-elle. C'est à moi de lui annoncer la nouvelle. Vous ne feriez que compliquer les choses, Jake.

— Mais j'ai joué un rôle dans cette histoire ! protesta-t-il.

— Oui, vous m'avez permis de comprendre que je n'étais pas prête, lui dit-elle avec détachement, espérant ainsi dissimuler ce qu'elle ressentait vraiment.

Jake parut sincèrement choqué.

— Vous m'avez utilisé pour tester votre résistance à la tentation ?

— Disons que j'avais juste envie de satisfaire ma curiosité. Maintenant, si vous voulez bien m'excuser...

Jake avait relâché son étreinte et Merlina en profita pour se dégager.

— Vous ne pouvez pas rester ici, déclara-t-il en lui emboîtant le pas. Cela ne ferait que faire souffrir mon grand-père. Laissez-moi vous reconduire chez vous lorsque vous lui aurez parlé.

Elle retint un sourire en pensant à la satisfaction qu'éprouverait Byron en apprenant ce qui s'était passé. Il se frotterait sûrement les mains à l'idée d'avoir poussé son petit-fils à réagir.

Pourtant, le ton déterminé de Jake la fit hésiter un instant. Voulait-il sincèrement rester avec elle ou désirait-il simplement aller jusqu'au bout de sa victoire sur Byron ?

— Harold va se charger de rassembler vos affaires et de les mettre dans ma voiture, reprit Jake sur un ton catégorique qui ne supposait pas de refus.

— Je vais rentrer en taxi, suggéra-t-elle.

— Non, répondit-il. Vous rentrez avec moi, Merlina.

Elle se raidit.

— Pourquoi vous obéirais-je ?

Le regard brûlant qu'il lui adressa la fit frissonner.

— Parce que nous n'en avons pas terminé, tous les deux, répliqua-t-il.

Merlina retint un tremblement. Si elle cédait, cela équivalait à avouer qu'elle voulait faire l'amour avec lui. Mais après tout, ne devait-elle pas prendre ce que Jake lui offrait, même s'il la quittait ensuite ? Bien sûr, elle souffrirait qu'il l'abandonne une fois son plaisir assouvi. Mais pouvait-elle passer à côté d'une telle expérience ?

Mais la seule pensée de se soumettre à son bon plaisir la révoltait. Mettre sa patience à l'épreuve, voilà ce qu'elle devait faire, décida-t-elle. Voir jusqu'où le mènerait la force de son désir.

— Faites ce que vous voulez, lança-t-elle avec désinvolture. Moi, je dois aller annoncer à Byron que je ne l'épouserai pas.

Jake observa la jeune femme quitter la pièce d'un pas décidé et dut réprimer l'envie de la retenir et de la mettre de force dans sa voiture. Merlina Rossi ne se contentait pas de le troubler, son entêtement le rendait fou. D'autant plus que, à peine quelques minutes plus tôt, elle semblait prête à succomber à la tentation. Si Harold ne les avait pas interrompus…

Mais à présent, elle paraissait avoir adopté une tout autre attitude. Pourtant, malgré son apparente pugnacité, il avait obtenu quelque chose d'elle : l'annulation de ses absurdes fiançailles avec son grand-père. Heureusement, il avait réussi à mettre un terme à ce projet odieux. A vrai dire, l'irruption d'Harold avait servi sa cause. Avec un témoin, Merlina ne pouvait prétendre qu'il ne s'était rien passé. De toute façon, il savait qu'elle était bien trop honnête pour mentir. Elle allait toujours jusqu'au bout de ses engagements…

Jake partit à la recherche d'Harold et le trouva dans la cuisine, où il supervisait la préparation du dîner. Il lui expliqua alors la nécessité de préparer les valises de Merlina sur-le-champ.

— Etes-vous sûr que c'est ce que souhaite Mlle Rossi ? s'enquit le majordome d'un air inquiet.

— Je lui ai promis de m'en occuper, affirma Jake avec son assurance habituelle. Ménageons la sensibilité de mon grand-père. Mlle Rossi est en ce moment même en train d'annuler ses fiançailles avec lui. Dès qu'elle aura fini…

— Je comprends où vous voulez en venir, monsieur Devila. Mais je doute que cette décision hâtive soit du goût de M. Byron.

— Mieux vaut en finir au plus vite, insista Jake.

— Bien, Monsieur. Si vous voulez ouvrir le coffre de votre voiture, je vais demander à ce qu'on charge les valises de Mlle Rossi. Je regrette de la voir partir. C'est une jeune femme si gentille, si vive…

— Qui a malheureusement fait une erreur, interrompit Jake avec impatience.

Le majordome haussa les sourcils.

— J'imagine qu'il est très facile pour une jeune femme de commettre un faux pas avec vous, monsieur Jake.

— L'erreur était de se fiancer avec mon grand-père, rétorqua Jake, agacé.

— Eh bien, Monsieur, si vous le permettez, c'est une opinion comme une autre. A présent, veuillez m'excuser, mais je dois me charger des valises de Mlle Rossi.

Jake sortit et alla ouvrir le coffre de sa Ferrari. Il aimait beaucoup son grand-père, et il espérait que celui-ci tiendrait le coup face à l'annonce que devait lui faire Merlina en ce moment précis. Mais Pop devait se montrer fair-play : ne l'avait-il pas prévenu qu'elle était à *lui* ? Il s'était juste contenté de reprendre le contrôle de la situation. Merlina lui appartenait. Point final.

Certes, son grand-père devait s'être entiché d'elle pour la demander aussi vite en mariage. D'un autre côté, comment prendre au sérieux sa conception du mariage quand aucun des siens n'avait duré plus de quelques années ? Mais peut-être avait-il vu cette union comme la dernière de sa vie et allait-il en vouloir terriblement à Jake de la briser ?

— Bon sang ! grommela-t-il.

Il ne pouvait décemment se permettre de partir ainsi avec Merlina : il devait d'abord affronter son grand-père et mesurer l'ampleur de son désarroi.

Il prit quelques inspirations apaisantes en attendant que le majordome apporte les bagages de Merlina. Bientôt, il vit apparaître Vincent, le fidèle valet de son grand-père, chargé d'un petit sac de voyage et de quelques autres provenant de boutiques de luxe.

— Est-ce tout ? demanda-t-il en ouvrant le coffre.

— Oui, Monsieur. Mlle Rossi va vraiment nous manquer, commenta Vincent en adressant à Jake ce qui lui sembla être un regard de reproche. M. Byron s'est montré particulièrement en forme depuis son arrivée.

— Ça fait à peine trois jours ! s'exclama Jake, luttant contre l'inhabituel sentiment de culpabilité qui s'éveillait en lui.

— A son âge, chaque jour est précieux, fit observer le valet. Peut-être êtes-vous encore trop jeune pour comprendre cela, Monsieur.

Puis il tourna les talons et repartit vers la maison.

Jake referma le coffre d'un coup sec, verrouilla les portes de la Ferrari et retourna à l'intérieur. Merlina avait eu assez de temps pour parler à Byron, pourquoi restait-elle dans la bibliothèque ? se demanda-t-il, sentant une sourde angoisse lui nouer le ventre.

Son inquiétude le poussa à se diriger vers la bibliothèque, dont il ouvrit la porte sans frapper. Son grand-père se tenait appuyé contre le rebord du bureau en acajou, l'air détendu, et parfaitement maître de la situation. Quant à Merlina, elle était assise dans le grand fauteuil en cuir, les jambes croisées, visiblement aussi détendue que Byron. Jake fut frappé par l'atmosphère calme qui régnait dans la pièce.

— Que se passe-t-il ? demanda-t-il.

Son grand-père fronça les sourcils.

— Je devrais te retourner la question, Jake. Tu viens chez moi en prétextant avoir besoin d'aide pour ton travail…

— J'ai en effet besoin de Merlina au bureau, confirma Jake avec une véhémence qui provoqua un sourire moqueur chez son interlocuteur.

— Je n'en doute pas, mon garçon. Mais cela justifie-t-il ta façon quelque peu cavalière de l'amadouer et de l'éloigner de moi ?

Jake sentit un nouveau souffle de culpabilité lui glacer le sang.

— Je suis navré, Pop, mais Merlina ne peut pas t'épouser, affirma-t-il avant de lancer un regard interrogateur à la jeune femme. Vous ne lui avez rien dit ?

— Si, répondit-elle avec un sourire enjoué, tout en agitant les doigts pour lui montrer l'énorme diamant qui s'y trouvait encore. Je lui ai même proposé de lui rendre sa bague…

— J'ai convaincu Merlina de la garder, expliqua son grand-père.

— Pourquoi ? fulmina Jake, en proie à une colère qui chassa aussitôt le sentiment de culpabilité ressenti quelques secondes plus tôt.

— Mon garçon, j'ai vécu assez longtemps pour fermer les yeux sur ce genre de petites broutilles. Votre histoire risque fort de ne rien donner du tout… Un petit flirt de quelques mois, tout au plus. Qu'en pensez-vous, Merlina ?

— En effet, soupira-t-elle.

— Et si ce n'est pas le cas ? murmura Jake d'une voix rauque.

— Essaye, si c'est ce que tu veux, proposa son grand-père, manifestement amusé. Quand tu l'auras rendu malheureuse, je serai là pour la consoler.

— Ça ne risque pas d'arriver, prévint Jake. Je pourrais tout à fait l'épouser.

Cette déclaration ne manqua pas de produire un certain effet sur Byron.

— Tu ne penses pas ce que tu dis…

Merlina, une expression stupéfaite sur le visage, intervint à son tour.

— Vous renonceriez donc à votre vie dissolue ?

— Nous en parlerons, lui répondit Jake avec une soudaine prudence, avant de se tourner vers son grand-père. Je suis désolé que les choses prennent cette tournure, Pop. Mais sache qu'il y avait déjà quelque chose de spécial entre Merlina et moi avant même que tu ne la rencontres.

— J'ai pourtant l'impression que tu ne la traitais pas à sa juste valeur. Tandis que moi, je saurai m'occuper d'elle, affirma Byron.

— Reste en dehors de ça, Pop ! lui ordonna Jake, exaspéré. Merlina, j'ai chargé vos bagages dans ma voiture. Allons-nous-en. Nous avons assez discuté comme ça.

Au grand soulagement de Jake, la jeune femme ne protesta pas. Elle se leva de son fauteuil et embrassa Byron sur la joue avant de lui dire avec chaleur :

— Merci pour tout. Vous êtes adorable.

— Ce fut un plaisir. Prenez soin de vous… Mon petit-fils manque encore de maturité.

Jake serra les mâchoires mais garda le silence, décidé à ne pas se lancer dans une dispute alors qu'il avait obtenu ce qu'il désirait, du moins temporairement. Car son grand-père pouvait s'avérer tenace quand il voulait quelque chose…

Il passa un bras ferme autour de celui de Merlina, et la guida jusqu'à la voiture. Elle se laissait mener sans résistance, mais aux yeux de Jake, la bague qui scintillait à son doigt constituait une provocation. Pas pour longtemps, se promit-il. Avant de la mettre dans son lit, il la lui enlèverait.

Ensuite, il ferait en sorte de lui ôter toute envie de la porter de nouveau !

# 8.

Je pourrais l'épouser…

Jake l'avait dit. Elle n'avait pas rêvé. Ces paroles étaient véritablement sorties de sa bouche, se répétait Merlina. L'idée que Jake ait pu dire cela sérieusement lui faisait tourner la tête. Il ne pouvait tout de même pas s'agir d'un simple chantage pour qu'elle revienne travailler avec lui, ni d'une surenchère…

L'esprit confus et le ventre noué, Merlina se laissait conduire par Jake, qui l'entraînait dehors. Son pas décidé et la détermination qui marquait chaque trait de son visage la remplissaient d'ivresse. A l'évidence, il n'avait aucune envie de se séparer d'elle et désirait davantage qu'une simple relation de travail. Dire que, trois jours plus tôt, elle pensait avoir fait une croix sur lui !

Avait-elle eu raison de concocter cette mise en scène avec Byron ? s'inquiéta-t-elle soudain. Dans un sens, cela revenait à pousser Jake vers un destin qu'il n'aurait jamais envisagé dans d'autres circonstances… Mais sans ce coup de pouce, aurait-elle pu se rapprocher ainsi de lui ? Néanmoins, elle ne pouvait s'empêcher de s'interroger sur les capacités de Jake à faire un bon mari, et un bon père. Comment pourrait-elle lui faire confiance ?

Une fois dehors, il l'aida à monter dans sa Ferrari

rouge. Ce genre de véhicule tape-à-l'œil ne correspondait pas vraiment à l'esprit d'un père de famille modèle, songea-t-elle avec un serrement au cœur. Non, elle était folle de penser qu'il accepterait un jour de l'épouser. A l'évidence, il ne voulait qu'une simple aventure.

Jake ferma la portière derrière elle et fit le tour de la voiture pour y monter à son tour. La vue de sa silhouette athlétique et virile la fit de nouveau frissonner. Bientôt, elle le verrait nu, sentirait sa peau sous ses doigts… Elle avait tant de fois visualisé la scène ! Et maintenant que son fantasme le plus cher était sur le point de se réaliser, une irrépressible peur s'emparait d'elle.

Jake s'installa à côté d'elle, emplissant soudain l'habitacle de sa présence magnétique. Il mit le contact, fit rugir le moteur et avança vers les grilles, qui s'ouvrirent lentement pour les laisser passer. Avant de redémarrer, il lui saisit la main d'un geste vif et plongea son regard dans le sien.

— Ça va ? lui demanda-t-il d'une voix étonnamment tendre.

— Je ne sais pas, lui avoua-t-elle d'une voix tremblante. Partir avec vous me fait l'effet d'un saut dans le vide.

Il serra sa main d'un geste rassurant.

— Ne vous inquiétez pas. Laissez-vous aller.

— Vous arrive-t-il de réfléchir avant d'agir, Jake ?

— Cette fois, c'est inutile. Vous et moi, ça va marcher. Vous le savez aussi bien que moi.

Il relâcha sa main pour enclencher une vitesse et se concentrer sur la conduite.

— Et qu'est-il arrivé à Vanessa ? s'enquit-elle.

— Nous avons rompu samedi.

— A cause de moi ?

— Oui, confirma-t-il en lui jetant un bref coup d'œil. Vanessa n'était rien d'autre qu'une… partenaire.

— Et moi, rien d'autre qu'une partenaire professionnelle, commenta-t-elle sur un ton amer.

— Faux. Vous êtes bien plus que ça, répliqua-t-il.

— Quoi, alors ?

— Le soleil de ma vie, bien sûr, répondit-il, son fameux sourire de play-boy de nouveau sur les lèvres. Et je ne suis pas prêt de vous laisser filer.

S'agissait-il une fois encore de son numéro de charmeur ou était-il sincère ? se demanda-t-elle, le cœur battant.

— Depuis quand vous êtes-vous mis cette idée en tête ? demanda-t-elle d'un ton détaché, en espérant cacher sa nervosité.

Jake sembla soudain contrarié.

— Il ne s'agit pas d'un simple béguin, Merlina. En fait, la magie entre nous existe depuis notre premier rendez-vous. Et elle n'a fait qu'augmenter depuis que vous travaillez pour moi, déclara-t-il. Et que vous y mettiez tout à coup un terme… Pourquoi avoir fait cela ?

Merlina haussa les épaules.

— J'en avais assez d'être une marionnette, répondit-elle.

— Je vois… De toute façon, j'ai toujours su que vous finiriez par jeter l'éponge.

— Oh, vraiment ? Vous saviez donc que je renoncerai un jour à satisfaire à tous vos caprices ?

— Je voulais simplement découvrir jusqu'où je pouvais vous faire enrager. L'idée du gâteau allait dans ce sens. Je me frottais les mains à l'idée de vous voir sortir de vos gonds. Mais vous avez tenu bon et m'avez même joué un sacré tour… Je dois avouer que vous m'avez étonné, jusqu'à ce que mon grand-père vienne tout gâcher.

— Dois-je vous rappeler que vous sortiez avec Vanessa ? intervint Merlina avec froideur.

— Croyez-moi, Vanessa a vite compris qu'elle était hors-jeu, murmura-t-il.

— Ainsi, il a fallu que je parte pour que vous compreniez que vous teniez à moi ? s'indigna-t-elle, de plus en plus froissée par tant d'hypocrisie.

— Je vous l'ai dit. Il y a toujours eu quelque chose entre nous. Mais je ne voulais pas gâcher notre entente professionnelle.

— Je vois ! C'était bien mieux de me faire enrager avec vos exigences absurdes, sans égard pour ce que je ressentais pour vous.

Jake détourna aussitôt son attention de la route pour se concentrer sur elle avec un intense intérêt.

— Que ressentiez-vous pour moi ?

D'instinct, Merlina serra les lèvres et garda le silence. Ce n'était pas le moment d'avouer ses sentiments à Jake. Mieux valait découvrir ce que lui avait au fond du cœur avant de s'aventurer plus loin.

— Je n'aime pas qu'on se joue de moi, éluda-t-elle. J'aurais mieux fait de rester avec Byron, je crois.

— Certainement pas !

— Allons, avouez que tout ce qui vous intéresse, c'est de remporter la bataille, non ?

— Non ! C'est de partager avec vous quelque chose de spécial, assura-t-il avec un sérieux désarmant. Quelque chose que ni vous ni moi ne trouverons ailleurs.

Le cœur palpitant, Merlina eut un sursaut de surprise. Jake venait de mettre des mots sur ce qu'elle ressentait... Ses paroles touchaient un point sensible en elle, un sentiment enfoui au plus profond de son être.

— Je doute que cela soit très spécial pour vous, Jake,

soupira-t-elle néanmoins. Est-ce encore une tactique pour me faire revenir au bureau ?

Jake ne répondit pas. Selon toute vraisemblance, elle venait de marquer un point, conclut-elle. Mais lorsqu'il reprit la parole, il jeta une fois encore la confusion dans son esprit.

— Malgré les apparences, la séduction n'est pas mon fort. Je ne sors qu'avec des femmes qui se rendent... disponibles. Si je tiens à ce que vous reveniez au bureau, c'est parce que je suis convaincu que nous formons une équipe formidable et que personne ne peut vous remplacer, Merlina.

Le ton sincère de Jake eut raison du cynisme dont elle avait usé jusqu'alors. Oui, elle voulait être à ses côtés. Dans tous les domaines. Il avait raison : ils formaient une formidable équipe.

Elle ferma les paupières et s'efforça d'oublier tous ses doutes, de se laisser aller. Pourquoi ne pas se donner un peu de temps, disons trois mois ? Si leur relation ne prenait pas la direction souhaitée, alors il serait toujours temps d'y mettre un terme. Mais parviendrait-elle à ne pas en souffrir ?

De plus, sa démission avait pour but de recouvrer le contrôle de sa propre vie, et voilà qu'elle gâchait tout en suivant Jake...

Une tempête d'émotions contradictoires se déchaînait en elle. Mais une voix s'élevait pourtant dans sa tête. Une voix qui lui soufflait : « Laisse-toi aller, tu en meurs d'envie. »

Jake s'inquiétait du silence de Merlina. Ses arguments avaient-ils réussi à la convaincre de de se laisser aller ?

Elle n'émettait plus aucune objection ; or, Merlina ne manquait pas de répondant quand elle voulait imposer son point de vue.

D'un bref coup d'œil, il constata qu'elle avait fermé les yeux. Mauvais signe. Elle songeait sans doute à toutes les raisons pour lesquelles elle ne pouvait lui faire confiance, à commencer par son histoire avec Vanessa et avec toutes les autres femmes qu'il avait fréquentées depuis qu'elle avait commencé à travailler avec lui. Après ça, il ne pouvait décemment pas lui en vouloir de refuser de le croire quand il prétendait qu'elle était spéciale à ses yeux. Et pourtant, il ne mentait pas... Il devait à présent faire tout son possible pour ne pas la perdre de nouveau.

Il engagea la voiture sur le pont de Sydney. Encore un quart d'heure, et ils arriveraient chez elle, calcula-t-il. Il savait où elle habitait pour l'avoir raccompagnée plusieurs fois après des réunions tardives au bureau. Mais elle ne l'avait jamais invité à entrer, et il s'était gardé d'insister, sachant que ce serait là une situation dangereuse, trop intime pour deux personnes qui travaillaient ensemble.

Jake sentit tout son être se tendre à l'idée de la tenir serrée dans ses bras. Le simple baiser qu'ils avaient échangé tout à l'heure était chargé d'électricité. Et il savait qu'elle l'avait ressentie tout autant que lui. Non, elle ne pouvait plus faire marche arrière, à présent. Pas de doutes là-dessus.

Le feu passa au rouge, et il profita de cette pause pour l'observer plus attentivement. Elle se tenait parfaitement immobile. Les paupières toujours closes, elle arborait une expression triste et résolue, comme si elle avait choisi de rendre les armes, mais n'était pas heureuse de sa décision.

Il eut l'impulsion de se pencher vers elle pour l'embrasser, la ramener à la vie et lui montrer le bon côté des choses, mais un Klaxon retentit derrière eux quand le feu passa au vert, et Jake se vit forcé de reporter son attention sur la route.

La voiture s'immobilisa enfin, et Jake coupa le contact. Les jeux sont faits, pensa Merlina. Plus question de reculer, à présent. Avec un soupir résigné, elle ouvrit les yeux et constata que Jake l'avait ramenée chez elle, comme promis.

Elle habitait un appartement au rez-de-chaussée d'un petit immeuble de quatre habitations. En hiver, le soleil venait réchauffer ses fenêtres, mais hormis ce détail, l'endroit n'avait rien d'exceptionnel. L'appartement comptait un salon agrémenté d'une cuisine à l'américaine, une salle de bains avec buanderie, et deux chambres à l'arrière.

Jake n'avait jamais pénétré à l'intérieur, tout comme elle n'était jamais allée chez lui, dans son grand et luxueux appartement où défilaient sans nul doute quantité de femmes. Un désagréable petit frisson lui parcourut le dos à cette pensée. Aussitôt, elle se jura de ne jamais s'y rendre. S'ils devaient coucher ensemble, ce serait dans son lit à elle, où elle n'avait jamais laissé aucun autre homme se glisser.

Son cœur se mit à battre à tout rompre quand elle vit Jake descendre de la voiture et se diriger vers sa portière. Dans quelques secondes, elle se tiendrait debout à côté de lui. Qu'arriverait-il alors ?

Il ouvrit la portière. Mais Merlina se trouva, l'espace d'un instant, incapable d'effectuer le moindre mouvement.

— Nous y sommes, lui dit-il.

— Très bien ! se força-t-elle à articuler avant de poser les deux pieds par terre.

Jake lui saisit le bras et l'aida à se relever. Lorsqu'il lui prit l'autre bras et la fit pivoter pour lui faire face, elle sentit chaque parcelle de son corps s'enflammer. Allait-il l'embrasser, à présent ? Elle leva un regard plein d'anxiété vers lui. Que voulait-il d'elle ? Que cherchait-il à obtenir ?

— Allez ouvrir la porte, dit-il d'une voix neutre. Je vais sortir vos bagages du coffre.

Il la relâcha et tourna les talons. Libre de ses mouvements, Merlina s'efforça de rassembler ses pensées et se dirigea vers l'entrée de son appartement. « J'agis de nouveau comme sa marionnette, songea-t-elle. J'obéis à ses ordres. » Arrivée en haut du perron, elle se rendit compte qu'elle n'avait pas pris son sac à main, qui était sûrement resté dans le coffre. Elle se baissa, prit la clé de secours dissimulée sous le pot de géraniums placé à l'entrée, puis ouvrit la serrure avant de remettre la clé à sa place.

Elle entendit le coffre se refermer tandis qu'elle pénétrait dans le salon et laissait la porte ouverte.

— Où dois-je mettre tout ça ? lui demanda Jake derrière son dos.

Elle ne put se résoudre à lui indiquer sa chambre.

— Posez-les simplement par terre dans l'entrée, merci.

Il referma la porte avant de s'exécuter. De toute évidence, il ne semblait pas disposé à partir sur-le-champ. La tension qui s'installa alors entre eux lui coupa le souffle. Les yeux rivés sur lui, elle avait du mal à croire que l'homme qu'elle avait tant désiré se trouvait chez elle. Et ce n'était pas seulement la perspective de faire l'amour avec lui qui la faisait trembler, mais l'envie de tout partager avec lui. De former une équipe, comme lui-même l'avait dit. Une équipe qui ne se limiterait pas seulement au bureau…

— Pourquoi avez-vous peur de moi ? lui demanda-t-il soudain, le front plissé, les mains levées dans un geste d'apaisement.

— Parce que…, balbutia-t-elle. Parce que…

Mais elle dut de nouveau s'interrompre tant la tête lui tournait. Il y avait tant de raisons d'avoir peur, mais mettre des mots sur ses craintes risquait de lui donner l'air désespéré, et elle ne pouvait se permettre de baisser la garde ou de se montrer vulnérable.

— Eh bien ? insista Jake avec un regard pressant, avant de prendre une voix plus douce. Est-ce la première fois pour vous, Merlina ?

— Non. Mais… ça fait longtemps…

Des années, pour dire vrai, se rappela-t-elle.

— Et je ne prends pas la pilule, s'empressa-t-elle d'ajouter.

A peine eut-elle prononcé ces mots qu'elle se rendit compte qu'elle venait de lui donner son consentement.

Jake sourit, manifestement soulagé, et la rassura.

— Je me charge de ça.

Evidemment, se dit-elle. Il avait sans nul doute l'habitude d'emporter avec lui une poignée de préservatifs. Pour être paré lorsque lui prenait l'envie de faire l'amour à une femme, songea-t-elle non sans un certain cynisme.

Quelle folie l'avait prise de céder ainsi à ce coureur de jupons ! regretta-t-elle.

— Allons, rassurez-vous, reprit-il tout en se dirigeant lentement vers elle, le visage souriant, alors qu'elle restait clouée sur place, telle une poupée de chiffon.

Il passa une main autour de sa taille et leva l'autre vers son visage, ses doigts lui effleurant doucement les joues, dessinant le contour de ses lèvres avec une tendresse désarçonnante. Son regard lui promettait des plaisirs qu'elle n'avait jamais connus auparavant. Tout à coup, elle sut que l'heure n'était plus à l'hésitation. Le désir la transperçait, lui dictait d'abandonner ses craintes et de suivre son instinct.

# 9.

La tendresse que Jake éprouvait le déstabilisa. La vulnérabilité qu'il lisait à présent dans le regard de Merlina lui disait qu'elle n'avait pas de grande expérience dans le domaine sexuel. Et il voulait lui offrir un plaisir infini. Cette fois-ci, il le sentait, il ne s'agirait pas pour lui d'une simple aventure.

Il sentit les lèvres de la jeune femme trembler sous la caresse de ses doigts puis s'entrouvrir. L'ambre de ses prunelles avait fait place à une sombre couleur de nuit chargée de doutes et de questions auxquelles il se devait de répondre d'une façon ou d'une autre.

Elle posa les mains sur son torse, non pour le repousser mais comme une invitation hésitante, comme si elle lui demandait timidement de prendre les devants, de faire le premier pas. Il savait que dès qu'il l'embrasserait, elle passerait les mains autour de son cou comme elle l'avait fait chez Byron. Mais à présent, ils n'avaient plus besoin de se prouver leur désir mutuel, et il allait donc prendre tout son temps. Il voulait explorer chaque facette de Merlina, la connaître tout entière, découvrir ce qu'elle cachait derrière le masque professionnel qu'elle arborait au travail. Sa peau satinée, couleur caramel, invitait au toucher et, du bout des doigts, il effleura avec délices le grain velouté de ses joues, la douceur de ses mèches brunes lustrées comme de la soie.

Pourquoi les blondes l'avaient-elles tant attiré jusqu'ici ? s'étonna-t-il. Lorsqu'il avait exigé que Merlina modifie son image, elle avait protesté. Mais son besoin de travailler l'avait emporté, et elle avait fini par s'exécuter. A présent, comme il aurait aimé la voir avec ses cheveux longs ! Sentir ses mèches soyeuses balayer son corps…

— Je n'aurais jamais dû vous demander de couper vos cheveux, dit-il avec une note de regret dans la voix.

— Ce n'est pas grave, répondit-elle doucement. Ils repousseront.

La tendresse de sa voix poussa Jake à l'attirer encore plus près de lui, et ses lèvres vinrent chercher un baiser sur les siennes. Aussitôt, elle noua les bras autour de son cou et sa langue vint s'enrouler autour de la sienne dans une danse effrénée. La courbe voluptueuse de ses seins vint se poser contre son torse, la fermeté de leurs pointes signalant l'ampleur de son excitation.

Il la tint serrée contre lui pour mieux s'enivrer de ses formes si féminines. Le corps de Merlina possédait une sensualité naturelle qui invitait à la caresse.

Il sentit le feu du désir courir dans son sang. Son envie d'elle le consumait, l'exhortait à agir, *maintenant !* Mais non. Surtout, il ne devait pas presser les choses, se rappela-t-il. Ne pas donner à Merlina l'impression qu'il ne recherchait qu'à assouvir son désir. S'il voulait lui plaire, il devait agir avec prudence et douceur et, dans tous les cas, rester maître de la situation.

Prise dans le feu de la passion, Merlina émit un faible gémissement de protestation quand Jake mit fin à son baiser.

— Tout va bien, lui chuchota-t-il à l'oreille, la joue posée contre ses cheveux. Mais je vais perdre le contrôle de moi-même si je ne reprends pas mon souffle.

Soulagée, Merlina ne put s'empêcher de rire. Elle avait si peur de ne pas se montrer à la hauteur des autres conquêtes de Jake, sûrement plus expérimentées…

— Vous trouvez ça drôle ? lui demanda-t-il d'un air amusé.

— Non… non, s'empressa-t-elle de répondre. Je trouve ça plutôt agréable.

— Ah oui ? Vous aimez exercer votre pouvoir sur moi, n'est-ce pas ? la taquina-t-il.

Elle releva la tête et le regarda avec un sourire espiègle.

— Oui, j'aime ça.

Jake éclata de rire, comme s'il appréciait ce soudain accès de sincérité et d'audace.

— A mon tour de vous mettre dans le même état que moi.

— Je dois dire que vous vous en sortez plutôt bien, répliqua-t-elle, enhardie.

— *Plutôt bien ?* répéta Jake, le regard embrasé par le désir. En ce cas, passons au niveau supérieur. Et d'abord, laissez-moi vous débarrasser de cette ceinture.

Il relâcha un instant son étreinte et détacha d'une main experte la fine boucle de tissu qui tenait en place la bandelette de cuir autour de sa taille, avant de la laisser tomber au sol. Première étape, songea-t-elle. Mais surtout, ne pas anticiper. *Laisser les choses venir à leur rythme, sans précipitation.*

Alors qu'il détachait les boutons de sa robe, Merlina regretta de ne pas porter de lingerie plus affriolante que ses banals collants. Son soutien-gorge et sa culotte couleur crème convenaient encore. Et si, aux yeux de Jake, ils manquaient sûrement d'exotisme, eh bien tant pis ! Elle n'avait rien à cacher et, au moins, elle se montrait telle qu'elle était vraiment : au naturel.

— Mmm… Des cheveux soyeux, une robe soyeuse, des dessous soyeux, approuva-t-il dans un murmure, tandis qu'une de ses mains s'immisçait sous le bonnet du soutien-gorge et se refermait sur le galbe frémissant de son sein.

Il lui adressa un sourire sensuel, comme pour lui prouver combien il appréciait ce qu'il voyait.

Elle n'avait plus qu'une envie : fermer les yeux et laisser les doigts de Jake explorer chaque parcelle de son corps, flatter doucement la pointe de ses seins durcis par le désir. Mais si elle s'abandonnait ainsi, ne verrait-il pas à quel point il la troublait ?

Il laissa ses mains descendre le long du dos de la jeune femme, qui sentit son soutien-gorge se détacher.

— Vous ai-je déjà dit combien j'aime votre façon de me provoquer ? chuchota-t-il.

Etait-ce donc tout ce qu'il *aimait* chez elle ? se demanda-t-elle, déchirée entre l'envie de lui montrer combien elle pouvait se montrer audacieuse et la vive émotion que ses mots provoquaient en elle. N'était-il pas totalement illusoire de l'imaginer un seul instant s'engager sérieusement avec elle ? Pour se préserver, elle devait à tout prix mettre de côté ses rêves d'avenir et continuer de jouer le jeu de la séduction.

Sans la quitter des yeux, Jake se déshabilla, et Merlina se tint immobile, fascinée par le spectacle de sa virile nudité. A présent, il lui fallait oublier toutes les femmes qu'il avait eues avant elle, s'ordonna-t-elle. Car en cet instant, il la désirait, *elle*…

— Merlina ? N'ayez pas peur de moi, murmura Jake.

Il avança d'un pas et lui ôta lentement sa robe, qui glissa le long de son buste et vint s'échouer par terre, autour de ses chevilles. Il passa de nouveau les bras autour d'elle et l'attira à lui, et elle sut avec un frisson qu'elle avait franchi le point de non-retour.

— Tout va bien se passer, je vous le promets…

Il lui ôta son soutien-gorge, dénudant sa poitrine. La tête renversée, Merlina le laissa déposer un lent et doux baiser sur ses lèvres, un baiser qui se voulait rassurant et protecteur. La tendresse de sa caresse eut l'effet d'un baume apaisant sur son cœur troublé. Elle noua de nouveau les bras autour de son cou et se rapprocha, cédant à la folle ivresse du contact de leurs deux corps l'un contre l'autre.

Jake fit alors descendre ses mains plus bas dans son dos et passa les pouces sous l'élastique de son collant pour le faire glisser avec lenteur le long de ses cuisses, faisant naître des ondes délicieuses sur sa peau frémissante.

Ivre de désir, Merlina embrassa Jake avec une ardeur nouvelle.

— Pas encore, pas encore, chuchota-t-il. Laissez-moi d'abord vous enlever ceci.

Il s'agenouilla et fit glisser sa culotte le long de ses jambes tremblantes. Prise d'un irrépressible vertige, Merlina s'agrippa à ses épaules tandis qu'il la débarrassait de son dernier vêtement.

— Votre chambre, murmura-t-il. Où se trouve-t-elle ?

— Au bout du couloir, répondit-elle sans la moindre hésitation.

Jake la souleva alors dans ses bras. Sa force lui donnait, par contraste, l'impression délicieuse d'être très féminine... Il ouvrit la porte de la chambre et la déposa sur le couvre-lit de soie écarlate. Elle se cambra malgré elle, incitant Jake à venir la rejoindre.

Une onde de choc s'empara de Jake. Pour la première fois dans sa longue expérience de séducteur, la vision de cette femme étendue sur ce lit aux draps écarlates lui faisait perdre tous ses moyens. Ses courbes douces et féminines étaient parfaites : l'incarnation vivante des tableaux de maîtres dont les modèles nus posaient dans de somptueux décors. Sa peau veloutée sur de la soie écarlate... Rien ne manquait au tableau, à part peut-être...

— Quelle bêtise... un vrai idiot..., murmura-t-il en secouant la tête. Pourquoi ne l'ai-je pas compris plus tôt ?

— Compris quoi ? lui demanda-t-elle, en proie à une soudaine panique.

— J'ai eu tort. Les cheveux longs vous allaient si bien... J'aurais pu les admirer en ce moment même... Pardonnez-moi de m'être montré si stupide.

— Je vous l'ai dit, Jake, ils repousseront.

Il s'empara de ses lèvres et l'entraîna de nouveau dans une spirale de sensations si intenses qu'elle n'eut d'autre choix que de succomber à la volupté. Il l'embrassa à la base du cou, puis il embrassa ses seins, enroulant sa langue autour de leurs pointes durcies par le désir, les titillant de ses lèvres chaudes avec une ardeur si vive que Merlina, transportée d'extase, pria pour qu'il ne s'arrête jamais. Elle les tendait vers lui tels une offrande, l'encourageant à prolonger ses délicieuses caresses.

Mais il descendit plus bas encore, plantant de rapides baisers sur son ventre, dessinant les contours de son nombril du bout de la langue, provoquant chez elle des tressaillements de plaisir. Lorsque, avec des gestes lents, il lui écarta les cuisses, elle sentit tout son corps se contracter dans l'attente d'être caressée *là*, au cœur même de sa féminité. Son souffle se fit haletant tandis qu'elle se concentrait sur les sensations que Jake faisait naître en elle. Elle sentit ses doigts se glisser en elle. Puis, au bord d'une extase qu'elle n'avait jamais connue, elle sentit sa langue chaude se presser contre son clitoris. Le plaisir la fit se cambrer de plaisir.

Elle n'y tenait plus…

L'excitation la submergea, et elle entoura Jake de ses jambes. Rien n'existait plus autour d'elle… Soudain, il se redressa et se plaça sur elle. Mais lorsqu'il la pénétra enfin, ce fut une explosion de joie qui se répandit dans tout son corps. Elle sentit la moindre parcelle de sa peau vibrer au contact de ce corps qui se fondait en elle.

— Ouvre les yeux, chuchota-t-il, regarde-moi.

Il reprit ses lèvres, le rythme de son bassin s'accéléra. Et soudain, Merlina sentit un plaisir inouï l'emporter, et s'abandonna enfin aux vagues de volupté qui la submergèrent tout entière. En cet instant, Jake était à elle…

Ensuite, une douce torpeur s'empara d'elle. C'était incroyable, irréel, pensa-t-elle. Et s'il ne s'agissait pour lui que de sexe, alors tant pis. Ce délicieux voyage qu'il venait de lui offrir valait bien qu'elle prenne ce risque.

— Tu te sens bien ? murmura-t-il contre ses lèvres.

Elle se contenta d'acquiescer d'un signe de tête.

— Tu vois, tu as bien fait de venir à moi, Merlina.

Ils restèrent allongés un long moment sans parler,

savourant simplement le plaisir de cette intimité nouvelle et délicieuse.

Mais soudain, elle entendit une porte claquer chez elle. Et une voix demander :

— Merlina ?

Elle releva brusquement la tête des oreillers, prise d'un effroi qui lui glaça le sang.

*C'était son père !*

# 10.

Merlina bondit hors de son lit, entièrement nue. Vite, ses vêtements !

— Ne bouge pas, intima-t-elle à Jake. Je règle ça tout de suite.

Elle enfila sa robe à la hâte.

— J'arrive, papa ! cria-t-elle.

Tremblant d'angoisse, elle se précipita dans le salon. Pourquoi diable son père n'avait-il pas sonné à la porte au lieu d'utiliser la clé de secours, dont il connaissait la cachette ?

— Que fais-tu ici ? demanda-t-elle en se retrouvant face à son père.

— Ce que je fais ici ? répéta ce dernier d'une voix incrédule, levant les bras au ciel dans un geste théâtral, comme à son habitude.

Il secoua sa chevelure grise et ondulée et haussa les sourcils avec une expression désabusée. Il ouvrit la bouche, découvrant des dents très blanches qui se détachaient sur le hâle foncé de sa peau, abîmée par des années de travail dans les vignes.

— Ce que je fais ici ? reprit-il, haussant encore le ton.

Merlina savait qu'il en rajoutait. La tragédie à l'italienne, c'était la spécialité familiale.

— Tu n'as pas l'habitude de débarquer ici sans prévenir, répliqua-t-elle d'une voix qui se voulait conciliante.

— Comment te prévenir quand tu ne réponds pas au téléphone ? l'accusa-t-il. Et quand on appelle ton bureau, on apprend que tu n'y travailles plus !

— J'allais vous le dire, maman et toi, avança-t-elle. Mais pourquoi m'as-tu téléphoné ? S'est-il passé quelque chose à la maison ?

— Et regarde où cette fameuse indépendance t'a menée ! reprit son père en désignant le désordre qui régnait dans la pièce.

Merlina inspira à fond et répéta sa question.

— Que s'est-il passé ? Pourquoi es-tu ici ? Maman va bien, n'est-ce pas ?

— Non, elle ne va pas bien ! répondit son père, gesticulant de plus belle. Elle est morte d'inquiétude à ton sujet ! Elle n'arrête pas de répéter : « Quelque chose est arrivé à Merlina, je le sens ! Il faut que tu ailles la voir, Angelo ». Alors, c'est ce que j'ai fait. J'ai pris l'avion jusqu'à Sydney, et qu'est-ce que je découvre ? Que notre fille mène une vie dissolue !

Merlina ne put s'empêcher de lever les yeux au ciel. Il fallait toujours qu'il exagère tout. Bientôt, il allait la faire passer pour une prostituée ! La bannir de la famille pour toujours !

— Vous avez tort, monsieur Rossi, entendit-elle soudain.

*Jake !*

Elle pivota sur ses talons. Jake était là, une serviette autour de la taille, le reste du corps entièrement nu. N'avait-il donc pas compris qu'il ne ferait qu'attiser la colère de son père ? se désola-t-elle, la mort dans l'âme.

— Et je ne compte pas vous laisser insulter Merlina, monsieur Rossi.

Son père le toisa avec colère.

— C'est vous qui l'insultez, en lui prenant sa vertu !

— Papa, je t'en prie…

Mais celui-ci balaya ses supplications d'un geste, avant de donner libre cours à sa fureur.

— Qui est cet homme ? Ne t'ai-je pas dit de préserver ta virginité pour ton mari ?

— Je m'appelle Jake Devila et…

— Devila ? répéta-t-il, comprenant soudain à qui il avait affaire. N'est-ce pas le nom de ton patron, Merlina ?

— Je ne travaille plus pour lui.

— Comment ? Il t'a renvoyée parce que tu as accepté de coucher avec lui ?

— Non !

Il ignora sa protestation et s'en prit de nouveau à Jake.

— Vous êtes un homme sans honneur, monsieur. Vous avez profité de votre statut pour influencer ma fille.

— Ça ne s'est pas passé comme ça ! s'interposa Merlina, poussée à bout par les accusations fantaisistes de son père.

— Vraiment ? lui demanda celui-ci avec un sourire de triomphe. Pourtant, Sylvana nous a raconté comment il t'avait ordonné de te couper les cheveux et de porter des tenues indécentes !

— Mais…

— Ton père a raison, Merlina, la coupa Jake. J'ai abusé de mon pouvoir sur toi.

Merlina ferma les yeux de désespoir. A quoi Jake jouait-il, à présent ?

— A l'époque, j'ai exigé que Merlina adapte son style vestimentaire à l'image de mon entreprise, expliqua-t-il. Mais j'ai depuis compris que j'avais eu tort, car elle était déjà parfaite. Je suis désolé que vous trouviez mon influence sur elle si néfaste. Ce n'était pas mon intention.

— Vous êtes désolé ? s'étrangla son père. Cela ne changera rien au fait que vous avez ruiné toute chance de mariage pour ma fille !

Merlina sentit le bras de Jake se resserrer autour de ses épaules. Puis il lui prit la main pour montrer à son père le diamant de Byron, qu'elle portait toujours à l'annulaire gauche.

— A vrai dire, j'espérais vous demander la main de votre fille, monsieur Rossi.

Merlina se figea tandis qu'un vent de panique balayait toute pensée logique. Elle ne pouvait s'empêcher de prier pour que Jake soit sincère, même si une petite voix lui disait qu'il s'efforçait simplement de la sortir de ce bourbier, dans lequel il avait sa part de responsabilité.

Les yeux écarquillés, son père regardait la bague étincelante avec une surprise non dissimulée.

— Vous êtes donc fiancés ? murmura-t-il, soudain apaisé, avant d'adresser un regard plein de reproche à sa fille. Pourquoi ne l'as-tu pas d'abord présenté à la famille ?

Merlina imagina un instant la scène. Présenter Jake à sa famille ? Autant le jeter en pâture aux fauves.

— Je… euh…, cela a été si rapide, balbutia-t-elle.

— Veuillez accepter mes excuses, monsieur Rossi, reprit Jake. Je lui ai offert la bague ce soir, et nous n'avions pas évoqué le mariage jusqu'ici. Ce n'est qu'après la démission de Merlina que nous avons commencé à nous fréquenter sur un plan plus personnel.

Incroyable ! pensa Merlina. Jake se faisait passer pour un véritable gentleman. Envolé, l'incorrigible play-boy !

— Dans ce cas, je retire ce que j'ai dit, déclara son père. Vous êtes un homme d'honneur.

— Merci, répondit Jake.

— En revanche, si vous épousez Merlina, vous devez être présenté à la famille sans tarder.

— Avec grand plaisir.

Merlina savait que Jake tentait simplement de la sortir de ce mauvais pas et qu'il n'avait aucune intention de tenir ses engagements.

— Demain, si vous êtes libre, suggéra son père, une note de défi dans la voix.

— Demain ! s'exclama Merlina, affolée de voir son père si pressé de mettre à l'épreuve la sincérité de Jake. Mais il a bien trop de travail pour venir en semaine !

— La famille devrait toujours être une priorité, répliqua son père. Sache d'ailleurs que tu as raté la naissance de ton neveu. Mais puisque tu ne répondais pas au téléphone…

— Navrée de ne pas avoir été là, soupira Merlina, sincèrement désolée de ne pas avoir appris cette bonne nouvelle plus tôt.

— Merlina se trouvait dans ma famille. Elle a rencontré mon grand-père et ma mère, déclara Jake, venant encore une fois à sa rescousse.

Merlina n'en croyait pas ses oreilles. Décidément, il se montrait aussi doué que Byron pour tromper son monde…

— Pour fêter la naissance de notre nouveau petit-fils,

nous avons organisé un barbecue demain soir. Vous êtes tous les deux invités, annonça son père.

— Papa, je viens de te dire que Jake avait du travail.

— C'est le patron, oui ou non ? s'écria son père. Tu as déjà rencontré sa famille, maintenant, à lui de rencontrer la tienne.

Merlina soupira. Le scénario que Jake avait élaboré avec tant de soin semblait maintenant se retourner contre lui.

— Nous viendrons, annonça celui-ci.

Elle se tourna vers lui, exaspérée de le voir s'enfoncer dans le piège duquel elle tentait par tous les moyens de le délivrer.

— Ma famille vit à Griffith, Jake ! le prévint-elle. C'est à six heures de voiture de Sydney.

— Nous n'avons qu'à prendre l'avion, suggéra-t-il.

Merlina faillit s'étrangler. Pourquoi se montrait-il aussi zélé ? Ne voyait-il pas que tromper sa famille était la dernière chose à faire ?

— Parfait ! se réjouit son père. Un de tes frères viendra vous chercher à l'aéroport de Griffith.

*Ses frères !* se répéta silencieusement Merlina. Dès que ceux-ci poseraient le regard sur Jake, ils devineraient la supercherie, tant ils se méfiaient des hommes de la capitale, et en particulier de ceux qui n'étaient pas italiens !

— C'est très aimable de votre part, le remercia Jake.

— Eh bien, je vous laisse, décréta son père, visiblement à contrecœur. Je vais chez mon frère Georgio.

— Je vais t'appeler un taxi, proposa Merlina, soulagée que son père ne veuille pas s'installer chez elle pour les surveiller de plus près.

Elle se dégagea des bras de Jake pour se diriger vers le téléphone.

— Ma voiture est garée devant la porte, monsieur Rossi, interrompit Jake. Laissez-moi vous conduire. Le trajet nous donnera l'occasion de mieux faire connaissance.

Merlina s'immobilisa, estomaquée par ce qu'elle venait d'entendre. Jake avait-il donc perdu la tête ?

— Votre voiture… Serait-ce par hasard la Ferrari ? s'enquit son père.

— Tout juste, confirma Jake avec détachement.

— Vous avez bon goût, approuva-t-il. Rien n'égale les voitures italiennes. Moi-même, je conduis une Alfa Roméo. Je serai ravi de faire un tour dans votre Ferrari.

— C'est tout naturel, répondit Jake. Si vous le permettez, je vais enfiler quelques vêtements, et je suis à vous.

— Prenez votre temps, dit son père avec bienveillance.

Merlina était si ahurie par la tournure que prenaient les événements qu'elle resta muette quand Jake, qui passait devant elle, lui planta un baiser sur le front et lui fit un clin d'œil malicieux. De toute évidence, il s'amusait. Il n'avait malheureusement pas encore compris que lorsque sa famille s'apercevrait de son imposture, elle lui ferait payer très cher son manque de respect.

Elle se tourna vers son père.

— Assieds-toi, papa. Je dois dire deux mots à Jake avant que vous ne partiez.

— C'est un bel homme, fit-il observer, avant de lui lancer un regard sévère. Avant votre départ, appelle ta mère, Merlina. Tu dois absolument la rassurer.

— Promis, papa. Maintenant, si tu veux bien m'excuser…

— Vas-y, dit-il avant de baisser les yeux sur sa bague.

Splendide pierre. Ta mère va être drôlement impressionnée.

Merlina sentit son cœur se serrer. La bague de Byron ! L'esprit confus, elle gagna sa chambre au pas de course.

Déjà habillé, Jake était assis sur le lit et enfilait ses chaussures.

— As-tu perdu la tête ? lança-t-elle.

— Je crois pourtant m'en être très bien sorti, protesta Jake avec un sourire espiègle.

— Tu es allé trop loin, s'insurgea-t-elle d'une voix angoissée. J'ai essayé de t'arrêter, mais…

— Je ne voulais pas m'arrêter, Merlina, l'interrompit-il en haussant les épaules.

— Tu ne comprends pas à quel point ma famille prend ce genre d'engagement au sérieux.

— Mais moi aussi, je suis sérieux.

— C'est ça ! ironisa-t-elle, irritée de la légèreté avec laquelle il prenait les choses.

— Je suis sincère, insista-t-il avant de se lever pour la prendre par la taille.

Il la serra si fort qu'il parvint à réveiller en elle le désir qu'elle croyait éteint après cet épisode terriblement gênant.

— J'ai décidé de t'épouser, Merlina.

Son cœur s'arrêta de battre. Comme dans un songe, elle sentit les doigts de Jake effleurer doucement sa joue. Oui, tout cela n'était qu'un songe, se dit-elle, et elle allait s'éveiller d'une minute à l'autre.

— Tu ne dis rien ? la taquina-t-il.

— Je n'ai pas dit que j'acceptais, Jake.

— Tu n'as pas le choix. Je t'ai coincée.

Sur ces mots, il l'embrassa, l'empêchant ainsi de riposter.

— Je ne peux pas faire attendre ton père, ma petite tigresse, murmura Jake en se reculant.

— C'est lui qui va finir par te coincer ! répliqua-t-elle en désespoir de cause. Tu ne sais pas dans quoi tu t'engages.

— Nous pourrons toujours divorcer.

Le mariage ne signifiait donc rien à ses yeux, comprit-elle, accablée de douleur. Ses parents n'étaient-ils pas séparés ? Sans parler des innombrables divorces de son grand-père... Pour lui, le mariage n'était qu'un contrat qu'on pouvait rompre quand les choses ne fonctionnaient plus. Et il n'hésiterait pas à agir lorsqu'il trouverait une partenaire plus séduisante.

— Le divorce n'est pas une option dans ma famille, Jake.

Mais il ne parut pas le moins du monde contrarié par cette remarque.

— Nous verrons bien comment évoluent les choses, dit-il avec indifférence. Je passe te prendre demain matin à 9 heures. Nous irons acheter une bague.

— Tu as déjà montré la bague de Byron à mon père, lui rappela-t-elle sèchement, de plus en plus irritée par son attitude imperturbable.

— Retire-la. Nous en choisirons une autre.

— Jake..., commença-t-elle d'une voix suppliante.

— Fais-moi confiance, lui dit-il avant de lui donner un dernier baiser. Je vais mettre ton père dans ma poche avant même d'arriver chez son frère.

— Il ne s'agit pas de ça ! s'écria-t-elle dans l'espoir qu'il l'écoute enfin.

Mais plein de cette belle assurance qui le caractérisait, il ne prêta pas attention à sa détresse.

— Nous sommes bien ensemble. Merveilleusement bien. Penses-y, lui répondit-il, un joyeux sourire aux lèvres. A demain matin !

# 11.

Coincée… Merlina, hantée par ce mot, dormit d'un sommeil agité, entrecoupé de cauchemars angoissants. Voilà ce qu'il lui en coûtait d'avoir menti, se disait-elle. Jake n'aurait jamais évoqué le mariage si elle et Byron n'avaient pas prétendu être fiancés. Mais que pouvait-elle faire à présent ?

*Coincée… Elle était coincée.*

La seule personne à qui se confier était Byron, complice de cette catastrophe. Elle savait qu'il était un lève-tôt, et elle voulait lui parler avant l'arrivée de Jake. Dès 7 heures, elle décrocha son téléphone et composa le numéro du vieil homme, le ventre noué par l'angoisse.

Harold décrocha et s'enquit aussitôt de son état d'une voix inquiète.

— Etes-vous sûre que tout va bien, mademoiselle Rossi ? J'ai trouvé que M. Jake ne vous avait pas beaucoup laissé libre de vos choix, hier. C'est un jeune homme plein de fougue, n'est-ce pas ?

— En effet, répondit-elle, touchée par la sympathie du majordome. Je dois d'ailleurs en parler avec Byron. Est-il là ?

— Je suis sûr qu'il sera ravi de vous parler. Un instant, mademoiselle. Je lui passe l'appel.

— Merci.

Elle prit de longues inspirations dans l'espoir d'apaiser ses nerfs à vif, mais ce fut la voix chantante de Byron qui calma instantanément son agitation. *Lui* la comprendrait. Il comprenait tout.

— Ma chère Merlina ! Alors ? Avez-vous réussi à dompter le fauve ?

Elle se força à rire, en dépit de sa nervosité.

— Nul besoin : il s'est assagi tout seul en présence de mon père.

— Votre père ? répéta Byron sur un ton incrédule.

Merlina ne se fit pas prier davantage pour lui raconter par le détail les événements qui avaient mené sa famille à la considérer désormais fiancée avec Jake.

— Ah, enfin je reconnais les traits chevaleresques qu'il a hérités de son grand-père ! se réjouit-t-il. Son instinct de gentleman s'est manifesté.

— Mais je ne veux pas qu'il se comporte en gentleman ! gémit-elle. Je voudrais juste qu'il se montre sincère. Mais pour couronner tout le tout, après s'être engagé auprès de ma famille qui, croyez-moi, ne prend pas ça à la légère, il a mentionné le divorce comme issue possible. Je sais que dans votre famille, c'est chose banale, Byron. Mais pas dans la mienne. Les Italiens ne plaisantent pas avec ce genre de choses.

— Mmm..., murmura le vieil homme, songeur.

— Et aujourd'hui, reprit Merlina, de plus en plus anxieuse, il va rencontrer toute ma famille . Toute la tribu sera là pour vérifier qu'il est le mari idéal pour moi.

— Si ça se trouve, se hasarda Byron, Jake appréciera une famille aussi unie que la vôtre. Il n'a jamais connu cela, vous savez. Il pourrait se sentir attiré par ce genre de vie.

— Ou bien cela pourrait le faire fuir à toutes jambes…

— Aucun risque. Il considérera comme un défi le fait de gagner leur estime.

— Un défi, mais pas une envie sincère.

— Allons, cessez de vous inquiéter. Jake n'aurait jamais mentionné le mariage s'il n'y songeait pas sérieusement.

— C'est nous qui lui avons donné cette idée, rappelez-vous.

— S'il s'est décidé, c'est que, d'une certaine façon, il y avait déjà songé. Et puis, vous allez très bien ensemble. Alors donnez une chance à votre histoire, suggéra Byron. Vous verrez bien comment les choses évoluent.

Se faisait-elle trop de soucis ? se demanda-t-elle soudain.

— Vous en mourez d'envie, insista-t-il. C'est ce désir qui vous a poussée à jouer ce petit jeu avec moi. Maintenant qu'il a décidé de rencontrer votre famille, vous devez lui faire confiance. Réjouissez-vous, mon enfant.

Byron avait raison.

— D'accord, décida-t-elle, résolue pour l'instant à ignorer ses peurs.

— Bravo ! Dans la vie, on n'a rien sans rien. Vous devez continuer à jouer le jeu ! l'exhorta Byron avec allégresse.

Le grand-père et le petit-fils partageaient le même caractère ! constata Merlina avec un sourire. Et elle était sans doute folle de demander conseil à ce vieux brigand de Byron. D'un autre côté, il connaissait Jake…

— Merci, dit-elle. J'avais vraiment besoin d'encouragement pour le prochain round.

— Bonne chance, ma chère petite ! Content de vous avoir rassurée. Ah, les beaux jours !

Le sourire aux lèvres, Merlina raccrocha le combiné.

Pourquoi, en effet, ne pas donner sa chance à Jake ? D'un pas plus léger, elle se rendit dans sa chambre afin de sélectionner la tenue adéquate pour une visite chez un bijoutier de luxe, comme Jake le lui avait promis. Elle choisit un de ses derniers achats : une robe rouge moulante aux imprimés noir et blanc, à manches courtes, au décolleté droit et agrémentée d'une large ceinture tressée blanche. Une tenue simple qui faisait pourtant son effet, surtout portée avec de fines sandales blanches à talons et une pochette assortie. L'élégance résidait dans le soin apporté aux détails, se rappela-t-elle.

Avec ce principe en tête, elle appliqua un vernis rouge sur ses ongles, se maquilla avec soin et porta la touche finale à son apparence avec de longs pendants d'oreilles en or. Evidemment, elle avait pris soin d'ôter la bague de Byron.

Jake sonna à sa porte cinq minutes en avance sur l'heure prévue, lui évitant ainsi l'angoisse de l'attente. Elle se sentait assez nerveuse comme cela ! Mais quand elle ouvrit la porte, elle fut éblouie par la vision de Jake, vêtu d'un splendide costume ardoise, d'une chemise blanche et d'une cravate de soie dorée. Il était plus magnifique que jamais… surtout quand il souriait ainsi !

— Bon sang, Merlina ! Décidément, le rouge te va à merveille.

Merlina rougit en se rappelant le Bikini dans lequel il l'avait vue, à l'anniversaire de Byron. Avec la même audace qui lui avait si bien réussi à cette occasion, elle planta les poings sur ses hanches et prit une pose théâtrale.

— Oui, la dernière fois que j'en ai porté, j'ai bien vu que je ne te laissais pas indifférent, répondit-elle avec un détachement feint, tout en papillonnant des cils.

Jake éclata de rire avant de la prendre dans ses bras. Ses lèvres vinrent effleurer les siennes.

— Que diable vais-je faire de toi ? dit-il alors, comme s'il n'en avait sincèrement pas la moindre idée.

— Tu as dit que tu allais m'épouser, lui rappela-t-elle.

Il partit d'un grand rire.

— C'est en effet un début.

*Un début. Mais qu'en était-il de la suite ?*

Aussitôt, Merlina se força à chasser ses sombres pensées. Jake voulait l'épouser. Après tout, peut-être souhaitait-il la même chose qu'elle ? Elle devait lui donner sa chance, lui accorder un minimum de confiance.

— Allons, il est temps de partir en quête d'une bague, annonça-t-il. Ensuite, je t'emmènerai déjeuner dans les nuages, tout en haut de la tour de Sydney, avant de prendre l'avion à 14 h 30.

— Tu l'as réservé ?

Il acquiesça d'un signe de tête, avant de lui adresser un de ses sourires démoniaques.

— Et puisque nous devrons faire chambre à part chez tes parents, peut-être pourras-tu m'emmener dans les vignes dont m'a parlé ton père. Une petite promenade avant d'aller sagement nous coucher…

Merlina éclata de rire.

— L'intimité ne fait pas partie du vocabulaire de ma famille, Jake, le prévint-elle. Ils ne vont pas te lâcher d'une semelle.

— Tu voleras à mon secours.

— Oh que non ! dit-elle en souriant. Ce soir, tu devras te débrouiller seul.

— Je suis un battant, déclara-t-il avec enthousiasme.

— N'en fais pas trop avec eux, s'il te plaît, l'enjoignit Merlina, soudain sérieuse, en se rappelant combien sa famille pouvait se montrer exigeante.

Du bout des doigts, il caressa doucement son visage inquiet.

— Ne t'en fais pas, dit-il d'une voix apaisante. Tout va bien se passer. Cesse de te tourmenter.

Mais elle ne pouvait s'en empêcher. Si Jake voyait tout comme un défi, il devait comprendre qu'obtenir l'approbation de sa famille exigeait davantage qu'un simple numéro de charme. Il allait devoir se montrer sincère et authentique, et s'il n'y parvenait pas, alors elle devrait choisir entre lui et eux. Et elle ne pouvait envisager de ne plus jamais voir ses parents.

— As-tu déjà préparé tes affaires pour le voyage ? lui demanda-t-il, la tirant de ses réflexions.

— Oui, mon sac est dans ma chambre.

— Parfait. Le mien attend dans la voiture, dit-il en l'aidant à se relever et en déposant un dernier baiser sur ses lèvres. Il est temps de partir.

— Tu as raison, acquiesça-t-elle en soupirant.

De nouveau, il l'enlaça avec une tendresse infinie.

— Je te promets de bien me comporter avec ta famille. Entendu ?

— Je te mets au défi d'honorer cette promesse, répondit-elle, sachant pertinemment qu'un défi restait le meilleur moyen de motiver Jake.

Se pouvait-il qu'en ne cessant de lui lancer des défis, elle parvienne à faire durer leur relation ? se demanda-t-elle soudain. Une question subsistait, cependant : celle des enfants. Le nouveau petit garçon de Mario, son frère, allait-il éveiller en Jake un désir de paternité ?

Elle soupira. Elle le saurait bien assez vite.

# 12.

Jake s'accorda un instant de réflexion tandis qu'il attendait Merlina, partie se rafraîchir dans les toilettes de l'aéroport. Elle avait insisté pour qu'ils se changent avant d'embarquer pour Griffith, et il portait à présent un jean et un polo vert, l'ensemble idéal pour un barbecue.

Ces dernières vingt-quatre heures, il avait appris beaucoup de choses à son sujet. Certes, dès leur première rencontre, elle avait éveillé sa curiosité. Mais à présent qu'il la connaissait mieux, il voulait tout savoir d'elle. Il lui avait proposé le mariage sur un coup de tête, mais à sa grande surprise, il ne regrettait rien. En fait, la vision de *sa* bague sur l'annulaire de Merlina lui avait même donné une immense satisfaction… C'était étrange, car l'idée de se marier ne lui était jamais venue à l'esprit avant ce jour. Pour dire vrai, il avait toujours estimé qu'il s'agissait d'une perte de temps : la cérémonie, l'ennui, la jalousie, les disputes, et pour finir, un divorce ruineux.

Pourtant, avec Merlina, il avait franchi le pas sans hésiter une seconde. Et il devait avouer qu'il s'en trouvait ravi.

Elle, en revanche, ne semblait pas éprouver la même joie que lui. Pendant le déjeuner, elle n'avait cessé de regarder sa bague en rubis et diamants comme s'il s'agissait d'un mirage, et elle ne montrait guère d'enthousiasme à l'idée qu'il rencontre sa famille, malgré la promesse qu'il lui avait faite de bien se comporter. En y réfléchissant, il l'avait mise au pied du mur, et elle devait sûrement se demander s'il était sage d'épouser un play-boy comme lui. Néanmoins, s'il considérait la vie comme un jeu, il n'en était pas moins capable de tenir ses engagements, surtout quand le jeu en valait la chandelle.

Et avec Merlina, il était certain que c'était le cas.

Il fut tiré de ses réflexions par l'agréable vision de Merlina qui avançait vers lui, vêtue d'un pantalon blanc très près du corps et d'un haut de soie rouge et à col blanc ouvert. Une tenue à la fois sexy et décontractée.

La simple vue de cette femme le mettait dans un état d'excitation tel qu'il ne savait pas comment il allait contenir son désir jusqu'au lendemain.

— Tu sais, commença-t-elle d'un air soucieux, ils n'appartiennent pas au même monde que toi, et j'ai peur que tu ne…

— Merlina, arrête ! la gronda-t-il gentiment avant de l'enlacer d'un geste protecteur. Je sais m'adapter quand il le faut.

— Oui, c'est vrai, soupira-t-elle avec un sourire.

— Tu sais ce qui ne va pas chez toi ? poursuivit-il, l'œil malicieux. Tu paniques parce que tu as l'impression que la situation t'a échappé. Mais sache, ma chère fiancée, qu'il faut parfois lâcher prise.

Elle émit un petit rire nerveux.

— Crois-moi, Jake, je fais de mon mieux y arriver.

— Alors laisse-moi te guider, lui offrit-il en la prenant par la taille pour l'entraîner vers la porte d'embarquement.

Jake ne se faisait aucun souci. S'adapter ? Il avait

fait cela toute sa vie ! En effet, le divorce de ses parents l'avait forcé, et ce dès le plus jeune âge, à se forger une indépendance solide, et ce réflexe de survie ne l'avait plus abandonné depuis.

Il n'était donc pas prêt de perdre le nouveau défi qui l'attendait.

Merlina se laissa entraîner sans grande conviction, toujours préoccupée par l'impression que Jake allait faire à sa famille.

Au téléphone, sa mère l'avait prévenue que deux de ses frères, Danny et Joe, respectivement âgés de quatre et trois ans de plus qu'elle, seraient à l'aéroport pour les accueillir. Elle savait bien ce que ses frères pensaient des citadins comme Jake. Il fallait donc que celui-ci leur donne une image irréprochable : un seul faux pas, et ils le rejetteraient sans retour possible.

Si elle savait Jake capable de charmer les membres de sa famille, elle n'en restait pas moins dubitative quant aux sentiments qu'il éprouvait vraiment pour elle. Car s'il était clair qu'il la désirait, elle ignorait tout de ce qu'il ressentait réellement. Or, elle-même accordait bien trop d'importance au mariage pour se satisfaire de cela. Pour elle, il s'agissait d'un contrat à vie. Sans parler des enfants…

Seigneur, pensa-t-elle, soudain prise de panique. Elle devait faire attention, ne pas se laisser aveugler par ses propres sentiments envers Jake, qui grandissaient de minute en minute…

*
* *

Jake profita du vol pour interroger Merlina sur les membres de sa famille présents au barbecue, s'efforçant de mémoriser ces informations comme il le faisait lorsqu'il se préparait pour une réunion d'affaires.

Pour autant, quand ils arrivèrent à Griffith, l'accueil de Danny et de Joe, les frères de Merlina, ne manqua pas de le déstabiliser. Grands et robustes, ils prirent leur sœur dans leurs bras, la firent virevolter et l'embrassèrent avec une tendresse évidente. Enfin, ils donnèrent de grandes tapes dans le dos de Jake avant de lui serrer la main.

— Ah, Merlina ! s'exclama Danny. Tu as enfin trouvé un homme ! Maman est folle de joie.

Cette spontanéité et cette cordialité virent éveiller chez Jake des émotions qu'il n'avait jusqu'alors jamais ressenties, et qui le troublèrent au plus haut point. Tout simplement, il n'était pas habitué à ce que les membres d'une même famille se témoignent autant d'affection. Et lui-même, en dépit du sourire qu'il affichait, se sentait froid et rigide par rapport aux frères de Merlina.

Ces derniers se lancèrent dans une discussion à bâtons rompus avec leur sœur, tout en les guidant vers la Land Rover garée dans le parking de l'aéroport.

Une fois qu'ils furent tous installés dans le véhicule, en route vers la propriété des Rossi, les deux frères se mirent à poser des questions à Jake.

— Ainsi, vous étiez le patron de Merlina ? commença Danny. Racontez-nous ce que vous faites, Jake.

Celui-ci entreprit de leur expliquer le fonctionnement de *Signature Sounds,* et comment sa société offrait aux utilisateurs un large panel de sonneries de téléphone portable.

— Moi, toutes ces sonneries me cassent les oreilles, commenta l'un des frères.

— Une véritable pollution sonore, approuva l'autre.

Soudain, Jake se sentit désemparé. Jamais encore il n'avait remis en question l'intérêt de ce qu'il faisait. A ses yeux, il avait simplement réussi à rendre lucrative une bonne idée. A vrai dire, très lucrative. Certes, il avait conscience que ce qu'il vendait était relativement futile, mais jusqu'ici, il ne s'était pas rendu compte à quel point.

— Certaines des sonneries que Jake a mises sur le marché se vendent dans le monde entier, les informa Merlina d'une voix douce.

— Tu plaisantes !

— Pas du tout. Vous savez, beaucoup de gens veulent personnaliser leur téléphone, expliqua-t-elle. Cela participe de l'image qu'ils veulent donner d'eux-mêmes. Ne dénigrez pas ce que fait Jake simplement parce que vous n'y avez pas pensé vous-mêmes.

Elle le défendait, réalisa Jake avec étonnement. Un peu comme si elle s'élevait contre l'étroitesse d'esprit de ses frères. Et quelque chose lui disait que ce n'était pas la première fois… Etait-ce donc la raison pour laquelle elle était partie de chez elle ? Pour s'ouvrir au monde ? se demanda-t-il.

— Désolé, je ne voulais pas vous vexer, Jake, s'excusa Danny. Si vous avez réussi, tant mieux pour vous.

— Disons que c'est très loin de notre univers, ajouta Joe en haussant les épaules.

— Je le conçois, acquiesça Jake en serrant tendrement la main de Merlina pour la remercier de son soutien.

La voiture filait vers le nord de Griffith, à travers la campagne. Bientôt, Danny désigna à Jake les vignes qui appartenaient à la famille, citant les différents cépages qu'ils cultivaient. Leur fierté à évoquer leur activité mit une nouvelle fois Jake mal à l'aise. Car il prenait conscience que la famille de Merlina appartenait à un univers totalement étranger au sien… Un univers dont les valeurs étaient bien plus concrètes, solides et authentiques que dans le sien. Bien sûr, ces gens menaient une existence simple, que certains auraient pu trouver rébarbative, mais ils semblaient éprouver un tel bonheur à vivre ici, un tel attachement à leur terre… Pour sa part, Jake n'avait jamais rien éprouvé de semblable. A vrai dire, il ne s'était jamais senti appartenir à un endroit quelconque. Sa mère avait sans cesse déménagé, et il avait passé la majeure partie de son enfance en pension. La propriété de son grand-père restait le seul lieu à peu près familier qu'il aimait retrouver.

— Nous y voilà ! annonça Joe alors que la voiture s'était arrêtée devant un portail derrière lequel, remarqua aussitôt Jake, se tenait une ribambelle d'enfants.

Deux gros chiens, un labrador et un boxer, sautillaient autour du véhicule en aboyant. Joe se pencha à la fenêtre et cria.

— Ouvrez, les enfants !

Un petit garçon ouvrit le portail tandis que les autres restaient accrochés aux barreaux et criaient à tue-tête :

— Merlina ! Nous avons eu un petit frère !

— Merlina ! On veut voir ton fiancé.

— Moi d'abord !

— Non, moi ! Moi !

Joe arrêta le moteur et se retourna pour demander à leur sœur et à Jake s'ils souhaitaient faire le reste du chemin à pied.

— Je crois que les gosses seraient ravis, ajouta-t-il.

— Je ne voudrais pas les décevoir, dit Jake. Allons-y !

Ils descendirent et furent bientôt encerclés par les chiens et la flopée d'enfants à la mine réjouie.

Jake n'avait jamais eu de chien, ni aucun animal de compagnie, et il se prit à rêver de la joie qu'il aurait éprouvée, enfant, à être accueilli par un fidèle et affectueux compagnon. Il se serait sans doute senti moins seul…

Ces enfants avaient de la chance de faire partie d'une famille si unie, songea-t-il, d'avoir des frères et des sœurs avec qui s'amuser. Leur joie de vivre et leur insouciance faisaient plaisir à voir. De toute évidence, ils adoraient Merlina, et pour cause : elle adressait des compliments à chacun d'entre eux, les écoutait avec un sincère intérêt, riait de leurs plaisanteries à gorge déployée et les faisait rire à son tour.

Il se souvint soudain qu'elle lui avait fait part de son envie de maternité. N'avait-elle pas dit qu'elle ne concevait pas le mariage sans enfants ? Soudain, il s'imagina en père. Etait-ce un rôle dans lequel il pourrait s'épanouir ?

Son propre père était parti en Europe juste après le divorce, et il ne l'avait jamais revu. A l'école, il regardait avec envie tous ces papas venus applaudir leurs fils, lors des rencontres sportives. Un père se devait d'être présent dans la vie de son enfant, songea-t-il. Et lui consacrer une grande partie de sa vie.

Une petite fille tira soudain sur la jambe de son pantalon pour attirer son attention, levant vers lui de grands yeux clairs et suppliants.

— Je veux plus marcher, gémit-elle. Tu me prends sur les épaules ?

— Bien sûr.

Il se baissa, et la petite fille s'agrippa à son cou pour se stabiliser. Il n'avait jamais porté un enfant ainsi, mais elle avait visiblement confiance en lui.

— Si tu es fatiguée, Rosa, tu ne pourras pas jouer au foot après le dîner, fit remarquer un des garçons.

— Si ! Si ! insista la petite fille avec détermination. J'ai juste besoin de me reposer les jambes, c'est tout. Et puis, Jake sera dans mon équipe.

— Je crois que Rosa t'a adopté, dit Merlina avec un petit sourire. Le match de football après le dîner fait partie des traditions de la famille.

— Je suis sûre que tu te défendais comme une championne, plus jeune, lui lança Jake avec un sourire. Telle que je te connais, tu ne supportais sûrement pas la défaite.

Merlina lui lança un regard complice.

— Tu me connais bien, en effet.

— Oh, il me reste beaucoup de choses à découvrir, fit-il observer.

Et en effet, il avait hâte de mieux connaître cette famille si différente de la sienne. Le sentiment de n'avoir jamais eu d'attaches, sentiment si longtemps refoulé, resurgit en lui pour se muer en frustration. C'était comme regarder par-dessus un mur sans pouvoir le franchir. A moins que... S'il ne pouvait modifier le passé, il pouvait encore agir sur son avenir, se dit-il soudain. Peut-être qu'en ayant des enfants avec Merlina, il pourrait franchir ce mur ?

Il observa la grande demeure dont ils s'approchaient. C'était une belle maison de campagne, agrémentée de larges vérandas et entourée de grands arbres. Des parterres de géraniums et de pétunias égayaient la pelouse de leurs couleurs vives. Une authentique maison de famille.

Les voitures garées de part et d'autre du chemin n'avaient rien de tape-à-l'œil, et ce n'était sûrement pas dû à un manque d'argent. Cette propriété, avec son domaine viticole, valait sans doute une fortune. Simplement, les symboles d'opulence n'avaient pas lieu d'être chez ces gens aux goûts modestes. La famille Rossi. La famille de Merlina.

Un homme jeune s'approcha d'eux, tandis qu'ils arrivaient sous la pergola.

— Voici Mario, le père du nouveau-né, l'informa Merlina.

Puis, le père de la jeune femme sortit de la maison pour les accueillir.

— Les enfants, laissez Merlina et Jake tranquilles et allez jouer, ordonna-t-il. Je vais les présenter à votre grand-mère.

Il fut immédiatement obéi. Jake souleva Rosa de ses épaules et la déposa à terre.

— Je vois que ma fille vous a déjà fait du charme, Jake, remarqua Danny en riant.

Angelo Rossi rit à son tour et s'approcha de Jake pour lui serrer la main.

— Notre petite Rosa est bien mignonne. Mais attendez de voir mon nouveau petit-fils. Vous allez vouloir le même !

— Papa, nous ne sommes même pas mariés ! protesta Merlina.

— Et après ? Un mariage n'est rien sans enfants. Vous allez nous faire de magnifiques petits.

Manifestement, Merlina n'était pas la seule à prendre cette histoire de mariage et d'enfants au sérieux, constata Jake. Elle l'avait pourtant prévenu. Mais était-il vraiment prêt à s'engager à ce point ? se demanda-t-il.

Angelo les fit entrer à l'intérieur de la maison, et ils débouchèrent dans une immense cuisine. Des myriades de casseroles et de poêles en cuivre pendaient du plafond, et une grande table accueillait tout un assortiment de saladiers et de corbeilles à pain. La pièce était remplie de femmes bien en chair qui, dès son entrée dans la pièce, détaillèrent Jake de la tête aux pieds avec un intérêt non dissimulé.

L'une d'entre elles, plus âgée, s'avança enfin et ouvrit grands les bras pour le serrer contre sa poitrine généreuse.

— Ma femme, Maria, annonça Angelo avec fierté.

— Comme je suis heureuse de faire votre connaissance ! s'écria-t-elle avec effusion. Quel bel homme !

— Oh, *mamma* ! gémit Merlina.

Sa mère se tourna ensuite vers les autres femmes rassemblées autour d'eux, et entreprit de présenter Jake à chacune d'entre elles. Ce fut encore des embrassades et des cris de joie. Etrangement, Jake éprouvait une agréable ivresse à être ainsi accueilli avec tant de chaleur. Comme cela le changeait des froides poignées de main échangées dans les soirées mondaines de Sydney !

Gina, la mère du bébé qui venait de naître, le guida ensuite vers le berceau.

— Dès qu'il se réveillera, je vous l'amènerai pour que vous le preniez dans vos bras, proposa-t-elle comme s'il s'agissait de la chose la plus naturelle au monde.

Jake ne sut que répondre. Il n'avait jamais vu d'être aussi minuscule, avec ce petit visage si serein, encadré d'épais cheveux bruns…

— On voit qu'il va avoir beaucoup de personnalité, fut le seul commentaire qui lui vint à l'esprit.

Mais cela parut satisfaire Gina et le reste des femmes, qui éclatèrent toutes d'un rire sonore.

Jake jeta un œil à Merlina et crut voir dans son expression une profonde tristesse. Sans doute était-elle convaincue qu'il ne parviendrait pas à supporter la pression exercée par sa famille. Elle faisait tourner sa bague de fiançailles autour de son doigt comme si elle comptait l'enlever d'un moment à l'autre.

Aussitôt, il s'approcha d'elle et la serra dans ses bras, avant de lui prendre la main pour montrer à toutes ces femmes le magnifique rubis qu'il lui avait offert.

— Merlina n'a pas l'habitude de porter ce genre de bijou. Pour la rassurer, dites-lui combien il lui va bien, demanda-t-il.

— Oh, Merlina ! C'est une bague fabuleuse ! s'exclama sa mère, qui se rapprocha pour mieux en admirer l'éclat.

Angelo éclata de rire et murmura au creux de l'oreille de Jake.

— Allons, laissons les femmes entre elles. Venez avec moi allumer le barbecue. Les enfants doivent avoir faim, à présent.

— Oui, allez-y ! approuva Maria en faisant mine de les chasser de la cuisine.

*Il n'avait pas le choix*, comprit Jake. Il devait faire ce qu'on attendait de lui, sans protester.

Peut-être n'avait-il pas complètement pris conscience de ce que son mariage avec Merlina impliquait, mais il était néanmoins persuadé d'une chose : il n'avait aucune intention de perdre cette femme si particulière.

Oui, maintenant, il le savait : elle représentait tout ce qui lui avait manqué pendant tant d'années.

# 13.

Merlina observa d'un œil inquiet son père escorter Jake hors de la cuisine. Elle était encore abasourdie par l'insistance de Jake à montrer sa bague de fiançailles à toute la famille. Pourquoi donc agissait-il ainsi ?

Elle avait bien senti que Danny et Joe l'avaient vexé, dans la voiture, avec leurs commentaires désobligeants au sujet de son activité professionnelle. Et elle avait remarqué que Jake avait pris sur lui pour rester poli et ne pas paraître offusqué. Il avait même posé à son tour des questions sur l'industrie viticole et avait feint d'être époustouflé par le chiffre d'affaires de l'exploitation, un chiffre pourtant dérisoire en comparaison du sien, elle était bien placée pour le savoir.

Même l'accueil bruyant des enfants n'avait pas paru le troubler, bien au contraire. Mais de son côté, les allusions de son père à leurs futurs bébés l'avaient mise, elle, très mal à l'aise. Certes, elle ne pouvait envisager de mariage sans enfants, mais de là à se montrer si insistant…

Ensuite, elle avait frémi lorsque sa mère avait serré Jake contre elle. Il n'avait certainement pas l'habitude de ce genre d'effusions ! Les femmes présentes dans la cuisine avaient dû lui paraître à mille lieux des créatures mondaines et sophistiquées qu'il avait l'habitude de fréquenter à Sydney. Elle entendait presque les questions que Jake avait dû se poser *in petto* : « Merlina allait-elle grossir, elle aussi ? Est-ce donc ce qui arrive à une Italienne après plusieurs grossesses ? »

Pourtant, elle devait reconnaître qu'il avait fait un effort remarquable pour feindre la décontraction. Et elle lui en était très reconnaissante. Jusqu'ici, il n'avait pas encore fait un seul faux pas. Malheureusement, ce qu'il pensait au plus profond de lui-même restait un mystère pour elle. Ainsi, quand Gina lui avait présenté son nouveau-né, qu'avait-il éprouvé ? Commençait-il à regretter son engagement et à comprendre ce que se marier avec une Rossi impliquait ?

Troublée, Merlina s'efforça pourtant de paraître radieuse devant ses sœurs et ses cousines qui s'extasiaient devant sa bague tout en l'assaillant de questions sur son mariage prochain avec Jake.

Au bout d'un moment, Sylvana lui proposa de venir près d'elle, un peu à l'écart, pour l'aider à préparer les plateaux d'*antipasti*, et Merlina comprit qu'elle était impatiente de lui soutirer de plus amples informations sur son histoire avec Jake. Nul doute que son opération au laser ait été un succès, nota Merlina avec humour : sa sœur ne portait plus de lunettes, mais surtout, son regard perçant était plein d'une redoutable curiosité…

— Maintenant, je sais pourquoi tu tenais à porter des tenues si osées, commença Sylvana sur un ton moqueur.

— Je t'assure que c'était pour le travail !

D'ailleurs, pensa-t-elle, en parlant de travail, elle allait très vite devoir en trouver un autre.

— Oh, avoue ! la taquina sa sœur. Un bel homme

comme lui ! Je parie que tu as eu le coup de foudre dès le premier regard et que tu as tout fait pour le séduire.

Merlina s'apprêtait à la contredire, mais elle se ravisa. Tout compte fait, n'y avait-il pas un peu de vérité dans les propos de sa sœur ?

— Qui pourrait rester insensible ? poursuivit Sylvana. Et travailler pour Jake a dû te permettre de te rapprocher de lui.

Pourtant, sa démission avait davantage joué en sa faveur, songea Merlina. Sans parler de ses fausses fiançailles avec Byron…

— Quand le mariage est-il prévu ? lui demanda Sylvana.

— Je ne sais pas. Nous n'avons pas encore arrêté de date.

— Maman va insister pour qu'il ait lieu ici, et il va lui falloir une date pour tout organiser.

Agacée par l'insistance de sa sœur, Merlina répondit du tac au tac :

— Arrêtez de vouloir contrôler ma vie ! Le mariage aura lieu *quand* et *où* nous le voudrons, un point c'est tout.

Une onde de choc se répandit dans la cuisine. Toutes les femmes interrompirent leurs activités et la fixèrent du regard.

— Merlina…, commença sa mère avec une expression inquiète.

— *Mamma*, je ne suis même pas si sûre de vouloir l'épouser, avoua-t-elle soudain, sous le coup de la panique.

La vieille dame fronça les sourcils.

— Mais tu l'aimes, n'est-ce pas ?

— Ce n'est pas la question !

— Peut-être qu'à force de penser à ta carrière, tu as peur de t'engager ?

— Sans doute, admit-elle en soupirant.

— C'est un homme bien, ma chérie. Ton père l'apprécie beaucoup. Prends ton temps. Je te promets de ne pas te presser.

— Merci, murmura Merlina avec soulagement. Je ne suis pas encore prête pour penser à l'organisation du mariage.

— Tu réfléchis toujours trop, ma fille. Avec Jake, tu devrais écouter ce que te dit ton cœur.

Un murmure d'approbation s'éleva dans la pièce. Merlina fut bientôt noyée sous les avis et les conseils de ses parentes, qui énuméraient chacune leur tour les bienfaits du mariage et de la maternité. L'assaut ne s'interrompit que lorsqu'elles durent apporter les plats dehors et les disposer sur les grandes tables dressées pour le barbecue.

Ensuite, Merlina s'efforça de suivre les recommandations de sa mère et d'oublier ses angoisses. Au fond, elle n'était pas mécontente de lui avoir fait part de ses doutes. Avec un peu de chance, sa mère avait prévenu Angelo de ne pas se montrer trop insistant, et ils allaient maintenant se faire plus discrets.

En effet, son père se montra plus réservé pendant le repas. Quand vint le moment de porter un toast au nouveau bébé et aux fiancés, il ne fit aucune allusion à ses futurs petits-enfants ou à l'organisation du mariage. En revanche, Jake fut le centre de toutes les attentions… Visiblement à l'aise, il souriait, riait et participait à toutes les discussions autour de la table.

Merlina soupira. Elle n'avait pas le cœur à faire la fête. Vraiment, ce mariage était-il une bonne idée alors qu'elle ignorait toujours les sentiments véritables de celui auquel elle allait lier son destin ?

Après le dîner, les enfants s'éparpillèrent sur la pelouse pour le match de football en poussant des cris de joie. A la fin de la seconde mi-temps, Jake fit une passe à la petite Rosa et empêcha deux de ses frères de lui prendre le ballon pour lui laisser le temps de marquer le but décisif. Rosa, triomphante, fit le tour du terrain, le T-shirt relevé au-dessus de la tête comme un joueur professionnel lors d'une coupe du monde. Tout le monde éclata de rire et Jake, désormais le héros de Rosa, hissa la petite, tout sourires, sur ses épaules.

— Tu seras toujours dans mon équipe ! déclara l'enfant.

— Je vais essayer d'être là à chaque barbecue, Rosa, répondit Jake. Mais tu sais, Sydney est très loin d'ici.

*Très, très loin*, songea Merlina.

Elle brûlait de se retrouver seule avec Jake, de partager un moment d'intimité. Et surtout, elle avait hâte qu'il lui fasse part de ses impressions… Car si la bonne humeur qu'il affichait n'était qu'un masque pour dissimuler sa gêne, ou pire, son mépris, elle voulait le savoir. Elle préférait entendre la vérité plutôt que d'entretenir un vain espoir.

Le jour touchait à sa fin, et on envoya les enfants au lit. Alors que le ciel prenait de sombres teintes pourpres, tout le monde participa au rangement avant de quitter les lieux, non sans avoir au préalable salué Jake et Merlina en leur souhaitant tous leurs vœux de bonheur.

Merlina, les joues douloureuses à force d'adresser

des sourires à chacun, se demanda si Jake avait hâte, lui aussi, de les voir tous partir...

— Pourquoi n'emmènes-tu pas Jake voir le sentier aux glycines ? suggéra alors sa mère. Profitez-en, il fait encore jour.

Plus surprenant encore, son père les encouragea à son tour à s'isoler.

— Les glycines ne sont plus en fleur, dit-il à Jake. Mais la promenade vaut quand même le coup d'œil. Demain matin, vous n'aurez pas le temps d'en profiter, puisque vous devez partir à l'aube.

Jake passa le bras sous celui de Merlina.

— Allons-y, déclara-t-il d'une voix décidée.

— Bonne nuit les enfants, crièrent Maria et Angelo avant de retourner dans la maison, amoureusement enlacés et un sourire complice aux lèvres.

Jake les regarda s'éloigner.

— Quel âge a ton père ? demanda-t-il.

— Soixante-quatre ans.

— Dire que Pop en a quatre-vingts... Je me demande s'il connaîtra un jour cette stabilité conjugale. Sans doute jamais..., conclut-il avec une expression à la fois mélancolique et amusée.

A l'évocation de Byron et de sa vie dissolue, Merlina éprouva un pincement au cœur.

— Et pour cause : ton grand-père ne tient pas en place. Papa est fidèle, lui. Il ne quittera jamais ma mère pour une autre femme. Et j'aimerais que mon mari soit tout aussi dévoué...

— Je le comprends, acquiesça-t-il comme s'il ne se sentait pas directement concerné.

En silence, ils descendirent les marches de la véranda et avancèrent sous la pergola recouverte de glycines.

Merlina, troublée par le ton indifférent de Jake, ne put tenir sa langue plus longtemps, tant l'inquiétude la tourmentait.

— Je ne veux pas d'un mariage à la légère, reprit-elle avec véhémence. L'idée d'un divorce m'est insupportable.

— Je le comprends aussi, répéta-t-il sur le même ton égal.

— Donc, mieux vaut en finir tout de suite…

— En finir avec quoi ?

Elle s'immobilisa, excédée par le manque de réaction de Jake, alors qu'elle venait de lui faire une suggestion qui lui brisait le cœur ! Elle dégagea son bras du sien et lui fit face. Bien que le soleil ne fût pas complètement couché, la végétation luxuriante plongeait la pergola dans l'ombre et l'empêcha de lire l'expression sur le visage de Jake.

— Tu as rencontré ma famille… Tu connais leur état d'esprit, qui est également le mien… Alors arrête de prétendre que tu tiens toujours à m'épouser ! s'emporta-t-elle.

— Pourquoi jouerais-je la comédie ? lui demanda-t-il avec douceur.

— Parce que tu veux t'assurer de la victoire, répliqua-t-elle. Tu n'acceptes pas que j'aie voulu partir, démissionner ! Pour l'instant, tu veux me récupérer, afin de décider toi-même du moment où tu en auras assez de moi !

— Est-ce donc ce que tu penses ? demanda-t-il d'une voix rauque.

— C'est ma faute, je le sais…, continua-t-elle. J'avoue que je t'ai provoqué en jouant à ce petit jeu avec ton grand-père… Je regrette sincèrement d'avoir agi ainsi.

Pourquoi ne me suis-je pas contentée de tirer un trait définitif sur cette histoire, au lieu de…

— Au lieu de vouloir me donner une leçon ? la coupa-t-il.

— Oui, admit-elle, soulagée qu'il n'ait pas deviné la raison qui l'avait poussée à se comporter ainsi : son fol et vain espoir de le voir tomber amoureux d'elle.

— Et ta décision d'épouser mon grand-père ? Etait-ce également pour me contrarier, Merlina ?

Yeux baissés, elle acquiesça d'un hochement de tête embarrassé.

— Je ne l'aurais jamais épousé, de toute façon. C'est lui qui m'a convaincue de voir jusqu'où tu irais pour me récupérer. Il a compris qu'il existait… quelque chose entre nous, et j'ai accepté de monter cette mise en scène avec lui parce que…

Merlina hésita. Le peu de fierté qui lui restait lui dictait de ne pas révéler les sentiments qu'elle lui portait depuis si longtemps.

Elle releva la tête.

— C'était pour te contrarier. Je voulais t'humilier, te ridiculiser. Alors, tu vois, tu as toutes les raisons de vouloir me quitter. Autant en finir au plus vite, tu ne crois pas ?

— Petite menteuse ! murmura-t-il en avançant vers elle pour l'enlacer dans ses bras puissants. Tu voulais attirer mon attention, tu voulais que je vienne à toi. Ose prétendre le contraire…

Et sans lui laisser le temps de protester, sa bouche s'écrasa contre la sienne avec une passion ardente qui la submergea, corps et âme. Comment Jake pouvait-il provoquer un tel trouble en elle s'il n'était pas l'homme de sa vie ? Elle aurait voulu se fondre en lui, ne faire plus qu'un. Son baiser la grisait, faisait monter en elle une fièvre dévorante.

— Tu ne peux pas le nier, Merlina, chuchota-t-il contre ses lèvres.

Il avait raison. Mais elle souhaitait tant entendre d'autres mots... Avec un soupir désespéré, elle laissa retomber la tête sur son épaule et enfouit le visage dans son cou.

— Quant à tes fiançailles avec mon grand-père..., poursuivit-il avec une pointe d'ironie. J'ai compris qu'il s'agissait d'une blague quand j'ai rencontré ta famille cet après-midi. Tu n'aurais jamais osé présenter Byron à tes parents. Moi, en revanche, je suis un gendre bien plus acceptable.

— Parce que tu as tout fait pour qu'ils le pensent, dit-elle sur un ton amer. Mais tu n'es pas du même monde qu'eux. Avec le temps...

Elle releva la tête et plongea un regard plein de défi dans le sien.

— De toute façon, tu ne comptes pas faire ta vie avec moi. Tout ce qui t'intéresse, depuis l'anniversaire de ton grand-père, c'est de remporter la victoire. Mais le mariage n'est pas un jeu, Jake. Pas avec moi, en tout cas. Voilà pourquoi nous devons nous arrêter là.

Un instant, il sembla réfléchir à ce qu'elle venait de dire.

— J'apprécie beaucoup ta famille, Merlina, assura-t-il d'une voix chaude. Pourquoi t'en es-tu éloignée en allant travailler à Sydney ?

— Je voulais vivre selon mes propres règles, répondit-elle, déconcertée par la question. J'étouffais à Griffith, surtout lorsque j'étais adolescente.

— Tu voulais t'envoler du nid ?

— Exactement.

— Mais maintenant que tu as volé de tes propres ailes, tu t'aperçois que tout ça te manque : les liens étroits qui vous unissent, le partage, la sérénité de savoir qu'il y aura toujours quelqu'un pour toi, dans les joies comme dans les peines.

— C'est vrai, approuva-t-elle, soulagée qu'il comprenne sa vision de la famille, même s'il ne semblait — ne pouvait —la partager.

— Je n'ai pas eu une famille comme la tienne, reprit-il. Et oui, nous ne sommes pas du même monde. Mais tu verras, je m'adapterai.

Vaines paroles, songea-t-elle. D'abord, Jake n'était pas italien. Et puis, sa propre expérience avait forcément renforcé son opinion selon laquelle il n'était pas fait pour la fidélité et l'amour. C'était sans doute pour cela qu'il avait toujours fait en sorte de garder ses distances, de ne jamais s'engager sérieusement avec une femme. Sa philosophie tenait en une phrase : éliminer les émotions pour ne pas souffrir. Il se contentait donc d'aller d'aventures en aventures.

— Je dois reconnaître que tu as su relever le défi, concéda-t-elle. Et je te remercie d'avoir fait tous ces efforts. J'imagine que cela n'a pas été facile, à certains moments.

— Au début... Mais j'ai vite été conquis. Je comprends maintenant que tu veuilles vivre selon ce modèle.

— Mais ce n'est pas le tien, n'est-ce pas ?

Merlina avait prononcé ces dernières paroles, les yeux embués de larmes. Refusant de dévoiler à Jake l'ampleur de son désespoir, elle détourna le regard vers la maison de ses parents. C'était le genre de demeure dont elle aurait rêvé pour elle et Jake, se dit-elle, le cœur brisé.

— Je suis ici, avec toi, murmura Jake. C'est là que je veux être.

Pour l'instant, rajouta-t-elle silencieusement.

— Je ne veux pas mettre un terme à notre relation, poursuivit-il. Et toi non plus, Merlina.

Il lui souleva doucement le menton pour la forcer à le regarder. Merlina baissa aussitôt les paupières, craignant qu'il ne découvre ce qu'elle ressentait. Il l'embrassa de nouveau, avec une tendresse qui la fit vaciller. Malgré elle, elle s'abandonna peu à peu à cette étreinte qui lui donnait, pour un instant, l'illusion que Jake tenait à elle.

Peut-être pouvait-elle lui laisser une nuit de plus ? Demain, ils seraient de retour à Sydney, et il serait alors temps de mettre un terme à cette histoire.

Demain, elle aurait l'esprit clair.

# 14.

Très tôt le lendemain, son père les conduisit à l'aéroport dans sa chère Alfa Roméo.

— C'est le véhicule familial idéal, fit-il remarquer à Jake d'un air entendu.

Cette nouvelle allusion à leurs futurs enfants perturba aussitôt Merlina, qui avait pourtant réussi, tant bien que mal, à garder son calme depuis le réveil.

Devant la porte d'embarquement, sa mère, qui avait elle aussi tenu à les accompagner, prit Merlina dans ses bras et lui dit à voix basse :

— Garde cette bague, ma chérie. Tâche d'arranger les choses avec Jake. Tu as besoin de lui.

Sans doute sa mère le voyait-elle comme le dernier espoir de mariage pour sa fille, songea Merlina avec amertume.

Puis Maria serra Jake dans ses bras et l'embrassa affectueusement sur les deux joues. Ce dernier lui rendit son étreinte sans gêne apparente.

— Prenez soin de ma fille, lui recommanda-t-elle.

— Comptez sur moi, Maria.

Une fois dans les airs, Merlina se tourna vers Jake avec une expression résolue.

— J'ai décidé de revenir travailler avec toi.

Le visage de celui-ci se fendit d'un large sourire. Il lui saisit la main.

— Quelle bonne nouvelle ! Tu es irremplaçable, tu sais ? L'assistante que tu m'as envoyée commençait à me taper sur les nerfs.

— Pourtant, c'était une jeune femme blonde et très, très mince, comme tu les aimes.

— Oui, mais je me suis récemment découvert une profonde attirance pour les brunes pulpeuses.

— C'est un tournant radical dans ta vie, dis-moi, commenta-t-elle en haussant les sourcils.

— J'ai eu une vision..., répondit-il, les yeux rieurs. Une vision bien agréable, ma foi.

Merlina ne put s'empêcher de sourire. Puis elle reprit :

— Tu sais, je n'ai jamais rencontré tes amis. Et tu ne connais pas les miens non plus.

— Eh bien, pourquoi ne pas organiser une petite fête pour les réunir ? suggéra-t-il.

Merlina hocha la tête en signe d'assentiment.

— Bon, pour t'éviter de devoir supporter trop longtemps ma remplaçante, je veux bien revenir au bureau dès la semaine prochaine, déclara-t-elle à Jake, dont les traits s'éclairèrent aussitôt.

— Avec plaisir ! Et que comptes-tu faire d'ici là ?

Merlina se rendit compte que jusqu'ici, ils n'avaient jamais évoqué leurs loisirs en dehors du bureau. Allaient-ils réussir à trouver des intérêts communs ? s'inquiéta-t-elle. « Tâche d'arranger les choses, lui avait conseillé sa mère »... Jake avait fait l'effort de s'adapter à sa famille.

A elle à présent d'y mettre du sien, se dit-elle. Elle devait surmonter ses préjugés et découvrir ce qui se cachait derrière l'apparence de séducteur que Jake cultivait.

Finalement, n'aimait-elle pas tout autant que lui relever des défis ?

Grâce à lui, elle avait découvert des horizons insoupçonnés. Depuis qu'elle travaillait avec lui, elle avait osé affirmer sa féminité, qu'elle dissimulait jusque-là. Il lui avait également permis de prendre confiance en elle et de réussir dans tous les projets qu'elle entreprenait. Elle était enfin devenue la femme qu'elle avait rêvé de devenir, lorsqu'elle était adolescente…

Merlina soupira. Elle aimait Jake de tout son être. Elle l'aimait pour tout ce qu'il avait fait pour elle, pour sa générosité, son goût du défi, et même pour son sens de la provocation…

Néanmoins, un point restait à éclaircir, celui des enfants. Jake ne lui avait toujours pas donné de réponse claire à ce sujet, il avait simplement affirmé comprendre son désir de fonder une famille. Peut-être fallait-il simplement lui laisser le temps…

Après l'atterrissage à Sydney, ils descendirent dans le parking de l'aéroport où les attendait la Ferrari.

Tandis que Jake conduisait, Merlina ne pouvait s'empêcher d'observer ses mains sur le volant et de les imaginer en train d'explorer chaque parcelle de son corps, si sensible à ses caresses…

Ils n'échangèrent pas un mot de tout le trajet.

A un feu rouge, Jake lui lança un regard, un regard brûlant d'impatience, plein du même désir qui la dévorait elle aussi.

Dès qu'il eut garé la voiture devant chez elle, Merlina descendit à la hâte pour ouvrir la porte. Jake empoigna leurs bagages et s'empressa de la rejoindre.

Merlina ferma la porte et elle courut se jeter dans les bras de Jake. Serrées l'un contre l'autre, ils se mirent à rire tout en s'embrassant. Oui, ils riaient, de la folie qui s'était emparée d'eux, de ce désir fou qui les précipitait l'un vers l'autre.

Jake lui saisit la main et la conduisit vers la chambre. Là, ils se déshabillèrent en toute hâte, faisant voler leurs vêtements dans toute la pièce. Enfin nus, leurs langues mêlées en une danse sensuelle et fiévreuse, ils s'abandonnèrent à la délicieuse sensation de leurs corps enlacés.

— Zut ! jura Jake en reprenant son souffle. J'ai oublié de prendre un préservatif.

Il commença à se relever, mais Merlina le retint.

— Ce n'est pas grave ! assura-t-elle.

— On ne craint rien ? lui demanda-t-il avec un regard soucieux.

— Je ne sais pas, mais ça n'a aucune importance.

Il fronça les sourcils, manifestement contrarié.

— Bien sûr que si : tu pourrais tomber enceinte.

Merlina sentit un frisson la parcourir.

— Et après ? le défia-t-elle. Nous allons nous marier, non ?

— Nous ne devrions pas prendre de risque, répliqua-t-il. Il est trop tôt pour se retrouver avec un bébé sur les bras. Sois raisonnable, Merlina.

Sur ces mots, il sortit du lit et alla chercher son portefeuille dans son jean. Une douloureuse sensation de vide remplaça la vague d'euphorie qui avait envahi Merlina, quelques secondes plus tôt à peine. Jake s'était montré on ne peut plus clair…

A présent, il était hors de question de rester là, à l'attendre, décida-t-elle. Elle se leva à son tour. Le souffle froid de la raison s'était emparé d'elle, la faisant trembler. Oui, Jake voulait lui faire l'amour. Mais cela n'avait apparemment rien à voir avec un sentiment véritable… Seul le sexe l'intéressait.

— Quelque chose ne va pas ? lui demanda-t-il, de retour dans la chambre.

— Oui, nous deux, répondit-elle d'une voix blanche.

Il fronça les sourcils, sans comprendre.

— Tu ne veux pas d'enfants, n'est ce pas, Jake ? ajouta-t-elle.

— Je n'ai pas dit ça, corrigea-t-il. Je pense juste qu'il est un peu trop tôt. Marions-nous d'abord. Ensuite, nous y réfléchirons.

— Et combien de temps te faudra-t-il pour réfléchir ? Un an ? Deux ans ? Cinq ? Dix ? Quand je serai trop âgée pour fonder la famille dont je rêve ?

— Fonder une grande famille me paraît raisonnable, réfuta-t-il. Mais pas la commencer avec une grossesse accidentelle.

— J'ai trente ans, Jake. Les statistiques montrent que plus j'attends de faire des enfants, plus j'encours le risque d'avoir des complications.

— Mais certaines femmes ont des enfants à quarante ans, à notre époque ! protesta-t-il, comme si elle se montrait excessive.

— Oui, des femmes qui se réveillent au dernier moment et qui ont plus que souvent recours à un traitement médical pour tomber enceinte, répliqua-t-elle. Je ne veux pas me retrouver dans ce cas.

— Je comprends, lui accorda-t-il, l'air contrarié par le tour que prenait leur conversation.

Merlina exhala un long soupir pour évacuer le poids douloureux qui comprimait sa poitrine. Son rêve d'épouser Jake venait de partir en fumée…

— Tu vois un enfant comme un fardeau, pas comme une merveilleuse aventure à vivre à deux. Elever un petit être, lui montrer le chemin de la vie, partager ses premières joies, comme celle de Rosa marquant un but… Ne crois-tu pas que ses parents se souviendront toujours avec bonheur de ce moment unique ?

Jake hocha la tête d'un air songeur.

— C'est vrai. Mais tu parles de fardeau, je dirai plutôt une lourde responsabilité. Devenir parent n'est pas quelque chose à prendre à la légère.

— Bien sûr. C'est un engagement à plein temps, et j'ai l'impression que tu n'en as pas la moindre envie.

Il leva la main en signe de désaccord.

— Tu te trompes. Je me fais peu à peu à l'idée.

Mais Merlina ne voulut pas se laisser prendre à ce qui lui paraissait être une dérobade de la part de Jake.

— Eh bien, fais-moi signe quand tu auras assez réfléchi, conclut-elle sur un ton péremptoire, avant de se diriger vers sa penderie pour y trouver quelques vêtements et se rhabiller.

— Que fais-tu ? demanda-t-il d'une voix tendue.

— Je me rhabille ! lui répondit-elle avec colère, tout en enfilant un peignoir de soie rouge. Et tu serais bien inspiré de faire de même, Jake. Je veux que tu partes de chez moi.

— Tu plaisantes !

— Pas le moins du monde.

— Merlina…

Il fit un pas dans sa direction. Mais elle le foudroya du regard.

— Je suis sérieuse ! Ne m'approche pas !

Ce brusque accès de colère semblait le laisser interdit.

— Dès que j'ai commencé à travailler avec toi, j'ai été obsédée par toi, reprit-elle. Oui, *obsédée* ! Je ne pensais qu'à toi… J'ai nourri toutes sortes de fantasmes à ton sujet, et après l'anniversaire de Byron, j'ai cru que mes rêves allaient enfin se réaliser. Mais maintenant, je vois clair, Jake. Plus question de me laisser aveugler par mes rêves !

— Ce que nous ressentons l'un pour l'autre est pourtant bien réel ! protesta-t-il.

— Peut-être, mais à tes yeux, cela n'engage à rien. Le sexe te suffit amplement, comme avec toutes les femmes que tu as connues.

— Tu n'as rien à voir avec elles !

— Reprends cette bague, lui ordonna-t-elle d'une voix tremblante, en lui tendant le rubis. Elle ne signifie rien si tu ne souhaites pas fonder une famille avec moi. Va-t'en et réfléchis. Prends tout le temps qu'il te faudra… Mais ne reviens pas si tu ne comptes pas t'engager sérieusement.

Cette fois, elle vit que Jake était en colère, lui aussi.

— Très bien ! s'écria-t-il en reprenant la bague.

Sans ajouter un mot, il pivota sur ses talons et se rhabilla avec des gestes furieux. Puis il la toisa d'un regard perçant.

— Je ne vais pas renoncer, Merlina.

Il jeta la bague en l'air, la rattrapa d'une main et

resserra le poing, une expression de froide détermination sur le visage. Puis il quitta la chambre, claqua la porte de l'appartement derrière lui, sans doute pour ne plus jamais revenir.

# 15.

Quelques jours passèrent, pendant lesquels Merlina n'eut aucune nouvelle de Jake.

Dans ces conditions, elle ne pouvait décemment pas retourner au bureau. Aussi s'efforçait-elle de se concentrer sur la recherche d'un nouvel emploi. Penchée toute la journée sur son ordinateur, elle consultait les sites de recrutement en ligne. Elle remit à jour son C.V. mais ne put se résoudre à l'envoyer. Pas encore.

Le week-end vint. Toujours aucune nouvelle de Jake.

Croyait-il qu'elle allait céder et revenir au bureau lundi ? pensait-elle avec indignation. Eh bien non, elle résisterait à l'envie de le revoir. Il lui en fallait davantage pour craquer !

Elle alla faire du shopping, sortit avec des amies. Tout cela sans jamais se départir de ce sentiment de tristesse qui l'envahissait jour et nuit.

Le lundi, Jake ne s'était toujours pas manifesté.

Sans doute songeait-il déjà à la remplacer, au bureau comme dans son lit. Le sujet des enfants lui faisait bien trop peur pour qu'il ose revenir vers elle. Il n'avait qu'à continuer sa vie de play-boy sans elle !

Elle décida de faire un grand nettoyage de printemps

chez elle, dans l'espoir de se fatiguer suffisamment pour vaincre ses insomnies. En vain. Les émotions qui se déchaînaient en elle étaient plus fortes que l'épuisement physique. Et quand elle parvenait à s'assoupir, Jake hantait ses rêves.

Peu à peu, elle se mettait à douter. Son bonheur reposait-il davantage sur la venue d'un enfant ou sur la présence de Jake à ses côtés ? En effet, comment pouvait-elle être heureuse sans lui ? N'avait-elle pas tout intérêt à profiter de ce que lui offrait la vie dès maintenant, sans penser au lendemain, plutôt que d'attendre une promesse qui ne serait peut-être même pas tenue ?

Déchirée entre l'envie d'appeler Jake et son refus de lui offrir cette victoire, Merlina ne savait plus quoi faire pour apaiser son esprit tourmenté. Et puis soudain, le mercredi, le téléphone sonna…

Elle décrocha le combiné en tremblant, priant pour entendre la voix de Jake à l'autre bout du fil.

Ce n'était pas lui, mais Byron.

— Ma chère Merlina, je pensais à vous ! Je me demandais comment s'était passée la rencontre entre mon petit-fils et votre famille.

Merlina sentit aussitôt une vague de tristesse et de culpabilité l'envahir.

— Oh, je suis désolée, Byron. J'aurais dû vous prévenir…

— Oh, je suis sûr que vous aviez d'autres choses plus importantes en tête, la rassura-t-il avec gentillesse. Je suis juste curieux de savoir ce qu'a donné le petit jeu que nous avions lancé.

— J'ai bien peur qu'il ait tourné court, Byron, confessa-t-elle.

— Pas possible ! s'exclama le vieil homme, manifestement atterré par la nouvelle. J'étais pourtant sûr que… Quel est le problème ? Votre famille n'a pas apprécié Jake ?

— Au contraire. Il les a tous charmés, répondit-elle avec une grimace de dépit. C'est moi le problème.

— Que voulez-vous dire ?

— Disons que nous n'envisageons pas le mariage de la même façon. Et que… la paternité n'est pas encore à l'ordre du jour pour lui.

— Ah ! Le sujet qui fâche… Donnez-lui encore un peu de temps, Merlina. Avec la mère qu'il a, il a tendance à penser qu'aucune femme n'est capable d'assumer ses responsabilités. Il doit juste prendre conscience que vous êtes différente et apprendre à vous faire confiance.

— Mais c'est moi qui ne lui fais pas confiance, Byron !

— Vraiment ? Croyez-moi, Merlina. Jake est un homme d'honneur, et il n'a jamais manqué à sa parole. A force de voir ses parents se déchirer, il s'est forgé un caractère d'une intégrité à toute épreuve, à l'opposé du leur. Dans notre famille, l'arrivée d'un enfant a rarement été désirée. Voilà pourquoi Jake a été élevé par une nurse, puis envoyé en pension… Sa mère et son père ont confié leurs responsabilités à d'autres. C'est pour ça, j'en suis persuadé, qu'il prendra son rôle de père très à cœur, parce qu'il a trop souffert de la négligence de ses parents.

Merlina resta un instant interdite. Qu'était devenu le petit garçon dont le besoin d'être choyé par ses parents était resté sans réponse ? Un homme qui se protégeait derrière un masque de séducteur. En évitant tout engagement sérieux, il s'était assuré qu'il ne souffrirait pas. Maintenant que Byron lui avait fait ces confidences, elle se rendait compte que Jake s'était engagé bien plus sérieusement que d'habitude avec elle... Au point de lui proposer le mariage et de rencontrer sa famille. Peut-être aurait-elle dû lui donner plus de temps ? se demanda-t-elle, comprenant que l'ultimatum qu'elle lui avait lancé l'avait forcément effrayé.

Une boule se forma dans son ventre à la pensée de ce qu'elle avait peut-être perdu à tout jamais, et ce fut d'une voix tremblante qu'elle répondit :

— J'ignore ce que pense Jake, Byron. Je lui ai dit de réfléchir, mais il ne m'a donné aucune nouvelle depuis plusieurs jours.

Prise d'une brusque panique, elle repensa au moment où elle avait rendu sa bague à Jake.

— J'ai tout gâché, murmura-t-elle avec désespoir.

— Mais non, mais non..., la rassura Byron. Si la fierté de Jake en a pris un coup, il n'est pas du genre à abandonner ce qu'il veut vraiment. Et je suis sûr que ce qu'il veut, c'est vous, Merlina.

Elle soupira, priant silencieusement pour que Byron dise vrai.

— Patientez encore un peu, lui conseilla-t-il. Tenez, venez prendre le thé chez moi samedi. Mon chauffeur viendra vous chercher à 14 heures. Entendu ?

Merlina hésitait. Mais après tout, c'était une occasion de rendre au vieil homme sa bague de fiançailles.

— D'accord.

— Magnifique ! J'ai hâte de vous revoir, ma chère enfant.

Cette fois, pensa Merlina, elle s'abstiendrait de se laisser influencer par Byron, même s'il était le plus charmant des hommes. Et elle ne laisserait pas aller à imaginer avec lui une nouvelle tactique pour arranger les choses avec Jake. Plus question de le piéger. S'ils devaient se remettre ensemble, cela devait venir d'eux, pas d'une tierce personne.

Le samedi, elle enfila sa robe rouge à ceinture tressée pour prendre le thé chez Byron. Le silence de Jake durait depuis maintenant dix jours.

La Rolls-Royce arriva à 14 heures et la déposa, après un court trajet, devant la magnifique demeure du grand-père de Jake. Dans l'allée, Merlina fut stupéfaite de découvrir un immense car de tourisme.

— Qu'est-ce que c'est ? s'enquit-elle auprès du chauffeur.

— Je crois savoir que M. Devila compte en faire usage plus tard dans la soirée, répondit celui-ci.

Sans doute allait-il emmener des invités à une fête, songea-t-elle. Byron adorait ce genre d'extravagances…

Arrivée devant la porte d'entrée, le majordome vint lui ouvrir et l'accueillit avec chaleur.

— Quel plaisir de vous revoir parmi nous, mademoiselle Rossi ! M. Byron vous attend dans le grand salon. Laissez-moi vous y mener.

Il s'inclina avec élégance et ajouta :

— Permettez-moi de vous dire que cette robe rouge vous sied à ravir. Elle est parfaite pour l'occasion.

— Merci ! dit-elle, agréablement surprise et intriguée par sa remarque, avant de lui emboîter le pas en direction du grand salon, dont il ouvrit grand les portes d'un geste théâtral.

Elle lui lança un regard hésitant, pressentant qu'il se passait quelque chose d'inhabituel, puis pénétra dans la pièce.

Celle-ci était remplie de monde.

Merlina se figea, le cœur tambourinant dans sa poitrine. S'agissait-il d'un mirage ? se demanda-t-elle quand elle vit la famille Rossi au grand complet, réunie autour de Byron et de Jake. Tous souriaient comme s'il s'agissait d'une surprise.

Et c'était le cas !

Jake tenait le bébé de Mario et de Gina dans ses bras, et Rosa s'agrippait à l'une de ses jambes.

— Bonjour, mon enfant ! lui lança Byron avec son habituelle bonhomie. J'ai pensé que puisque vous aviez déjà célébré vos fiançailles dans votre famille, il était logique d'organiser quelque chose à mon tour.

Il fit une pause, se tourna vers son petit-fils et, avec une expression d'encouragement, lui fit signe de prendre le relais.

— A toi de jouer, Jake.

— Merci, Pop, dit-il avant de se tourner vers Merlina. Tout d'abord, voici la preuve que je ne suis pas du tout allergique aux bébés, comme te le confirmeront Gina et Mario.

— On ne peut plus lui retirer des bras ! confirma Gina en riant aux éclats.

Jake se tourna ensuite vers la mère de Merlina et hocha respectueusement la tête.

— Ta mère est, comme moi, d'avis que nous devrions attendre d'être mariés avant de faire un enfant. Crois-moi, je ferai alors tout mon possible pour t'aider à accomplir ce rêve.

Quelques gloussements se firent entendre dans l'assemblée.

— Ton père suggère que la cérémonie ait lieu en septembre, reprit-il. Si cette date te convient, bien sûr.

Frappée de stupeur, Merlina gardait le silence. Jake

attendit un instant puis poursuivit, un petit sourire aux lèvres.

— Je ne sais pas combien d'enfants tu souhaites avoir, mais je crois que nous avons le temps d'en faire trois ou quatre avant que tu n'atteignes l'âge critique. Ta famille est là pour attester de ma bonne foi. La seule question qui se pose étant… Es-tu prête, *toi*, à me faire confiance ?

Merlina déglutit avec difficulté, tant l'émotion lui serrait la gorge. Selon toute vraisemblance, Jake s'était démené pour faire venir toute sa famille, et cela dans le but de lui prouver qu'elle pouvait lui faire confiance. Soudain, elle rougit de honte en songeant combien elle l'avait mal jugé, combien elle avait eu tort de lui lancer un ultimatum, de le rejeter… et de ne pas lui avouer son amour.

Jake confia le bébé à Mario puis se dirigea vers elle, muni de la bague de fiançailles qu'elle avait ôtée de son doigt quelques jours plus tôt.

— Je te l'offre de nouveau, Merlina. Acceptes-tu de la porter, en sachant tout ce que cela signifie pour notre avenir ?

Les yeux emplis de larmes, elle regarda la pierre écarlate, puis la saisit d'une main tremblante et la passa lentement à l'annulaire gauche.

— Merci, articula-t-elle d'une voix rauque, à peine audible. Je suis navrée d'avoir douté de toi.

— Ne parlons plus du passé, déclara-t-il avant de la serrer dans ses bras.

Elle enfouit son visage baigné de larmes dans son cou, et tandis que sa famille faisait cercle autour d'eux, des applaudissements et des vœux de bonheur fusèrent de toute part.

— Bravo, Jake ! s'écria son père.

— Cette fois, tu gardes cette bague pour de bon, la prévint sa mère.

— Eh bien, mes amis, le thé nous attend dans la salle de réception, déclara Byron. Suivez-moi, laissons ces deux tourtereaux tranquilles. Ils nous rejoindront quand ils seront prêts.

Merlina les entendit s'éloigner en bavardant joyeusement, puis le silence se fit dans la pièce.

— Est-ce que cela signifie que j'ai gagné, Merlina ? murmura alors Jake au creux de son oreille.

Elle s'efforça de prendre une longue inspiration afin de calmer la tempête d'émotions qui soufflait en elle, puis leva la tête pour qu'il voie la sincérité avec laquelle elle allait lui répondre.

— Je ne mettrai plus jamais ta parole en doute, Jake. C'est promis.

D'une main légère et douce, il lui essuya les larmes qui coulaient sur ses joues.

— Moi aussi, j'ai été obsédé par toi, Merlina. J'ai toujours voulu savoir qui se cachait derrière ce masque si sévère… Mon instinct me disait que tu représentais tout ce dont j'avais besoin. Et en effet, quand tu m'as ouvert ton cœur, j'ai su que plus jamais je ne pourrai te laisser partir.

— Oh, Jake ! s'écria-t-elle dans un sanglot, submergée de bonheur. J'étais sur le point de renoncer à fonder une famille pour te garder près de moi.

Jake secoua la tête, puis lui sourit.

— Je te veux pour femme, et pour mère de mes enfants. Ma partenaire à vie. J'aime tout ce que tu es, Merlina, et je refuse de te voir changer quoi que ce soit pour me plaire. Sauf que j'aimerais beaucoup te voir avec les cheveux longs.

*J'aime tout ce que tu es...*

Il l'avait dit. Le cœur empli de joie, Merlina s'exclama :

— Je t'aime aussi, Jake ! Je me laisserai pousser les cheveux aussi longs que tu le souhaites et je ferai tout pour faire de toi le plus heureux des hommes.

Jake aperçut l'éclat doré dans les yeux d'ambre de Merlina, et il sut qu'il ne se lasserait jamais de cette vision. Merlina Rossi était une femme exceptionnelle, le plus beau rêve que puisse faire un homme. Sauf qu'elle était bien réelle.

*Sa femme.*

Il la serra plus fort, grisé par le contact de son corps voluptueux contre le sien, par la sensation de son cœur battant contre son torse, au rythme de son propre cœur. Elle avait illuminé sa vie et lui avait offert tout son amour. A présent, elle allait lui faire découvrir toutes les joies dont il se serait privé sans elle à ses côtés.

Il se sentait bien.

*Merveilleusement bien.*

Jamais il n'avait éprouvé un tel sentiment de bien-être. Plus aucun obstacle ne pourrait se mettre en travers de la route qu'ils allaient désormais arpenter ensemble.

— Le mariage et des enfants... Voilà un défi intéressant, dit-il. Je suis sûr que nous allons le relever avec brio, pas vrai ?

Merlina partit d'un grand rire qui éclaira son visage d'une douce et chaude lueur.

— Bien sûr. Nous formons la meilleure des équipes.

Il l'embrassa et elle lui rendit son baiser.

Oui, ils formaient la meilleure des équipes.

Une équipe invincible.

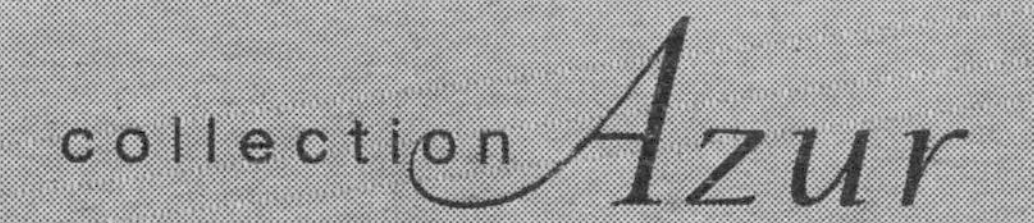


## Ne manquez pas, dès le 1er mars

*FIANCÉS PAR CONTRAT*, Sara Craven • *N°2862*

Si elle ne se fiance pas dans les six semaines, Harriet n'héritera pas de la propriété familiale à laquelle elle est profondément attachée. Comment faire, alors qu'elle n'a même pas de petit ami, et qu'elle refuse de s'attacher ? Acculée, Harriet se tourne vers Roan Zandros, un peintre désargenté qu'elle vient de rencontrer, et lui demande de se faire passer pour son futur mari. Sans pouvoir, toutefois, réprimer un doute : Roan est-il bien celui qu'il prétend être ?

*LE SECRET TRAHI*, *Helen Bianchin* • *N°2863*

Quatre ans plus tôt, Shannay a fui Madrid pour mettre le plus de distance possible entre elle et son mari dont l'infidélité lui a brisé le cœur. Mais alors qu'elle se croyait à l'abri à Perth, en Australie, elle a la stupeur de se retrouver nez à nez avec Marcello… Horrifiée, elle comprend que celui-ci connaît désormais l'existence de leur fille Nicki, âgée de trois ans, et qu'il est venu la lui enlever…

*TENDRE ILLUSION*, *Miranda Lee* • *N°2864*

Dans quelques mois, Sorrel fêtera son vingt-cinquième anniversaire. Et, ce jour là, Nick Coleman cessera enfin d'être son tuteur ! Jamais plus, s'est-elle promis, elle n'aura de contact avec celui qui la considère comme une jeune femme immature et sans intérêt. Et peut-être parviendra-t-elle à oublier la froideur avec laquelle Nick l'a toujours traitée, alors qu'elle l'aime depuis des années…

*UN SI CHER ENNEMI*, *Catherine George* • *N°2865*

Sarah tombe des nues en apprenant qu'Alex Merrick veut lui acheter les cottages qu'elle vient d'acquérir dans le but de les restaurer. Mais bien sûr, il n'est pas question de conclure une affaire avec lui. Car non seulement cet homme est un ennemi de sa famille, mais elle sait qu'il n'a qu'une idée en tête : détruire les cottages pour construire un luxueux complexe touristique…

*LA PROMESSE IMPOSSIBLE, Maggie Cox* • *N°2866*

Freya sait que Nash Taylor-Grant, spécialiste des médias et des relations publiques, est sa dernière chance. Grâce à lui, peut-être pourra-t-elle bientôt remonter sur scène et renouer avec le succès ? Pourtant, Freya sait aussi que Nash représente un danger pour elle. En effet, alors qu'elle s'est juré de ne plus jamais accorder sa confiance à un homme, elle se sent incapable de résister à son charme…

*PASSION À SANTIAGO, Jacqueline Baird* • *N°2867*

En se rendant à Santiago à la mort de son père, un homme qui ne s'est jamais soucié d'elle, Julia n'a qu'un espoir : régler au plus vite son héritage pour payer les soins médicaux dont sa mère a besoin. Mais sur place, elle apprend que pour hériter, elle va devoir épouser Randolfo Carducci, l'exécuteur testamentaire de son père, et rester au Chili avec lui…

*L'ENFANT DU CHEIKH, Susan Stephens* • *N°2868*

Lucy est folle de joie à l'idée de restaurer le palais du souverain d'Abadan. Mais son bonheur est de courte durée lorsqu'elle découvre que le cheikh n'est autre que l'inconnu avec lequel elle a passé une nuit d'amour passionnée, deux ans plus tôt… La surprise passée, la panique la gagne. Comment cacher à Khalil qu'elle a eu un fils de lui, un petit garçon avec lequel elle séjourne à Abadan ?

*COMME UN SORTILÈGE, Kim Lawrence* • *N°2869*

Révoltée par la façon dont Alex Carides a trahi sa sœur, enceinte de lui, Becca s'est juré de faire capoter le mariage que ce bellâtre doit conclure avec une riche héritière. Mais alors qu'elle s'avance vers l'autel pour s'opposer à cette union, elle sent une main se poser sur son bras. Comme électrisée, Becca se retourne. Devant elle se tient le plus bel homme qu'elle ait jamais vu. Un homme qui n'est autre que le cousin d'Alex. Un Carides. Et donc un ennemi…

*AMOUREUSE D'UN CÉLIBATAIRE, Carole Mortimer* • *N°2870*
*- SAGA DES GAMBRELLI -*

Pour venger sa meilleure amie abandonnée par Luc Gambrelli, le richissime producteur de cinéma, Darci décide de séduire celui-ci avant de l'humilier en le rejetant. Mais son plan se retourne bientôt contre elle... Car Luc est un homme infiniment séduisant, plein d'humour et de charme, bien loin de l'image qu'elle se faisait de lui...

Attention, numérotation des livres pour
le Canada différente : numéros 1493 à 1498

www.harlequin.fr

Composé et édité par les
*éditions* Harlequin
Achevé d'imprimer en janvier 2009

**BUSSIÈRE**
GROUPE CPI

à Saint-Amand-Montrond (Cher)
Dépôt légal : février 2009
N° d'imprimeur : 81966 — N° d'éditeur : 14087

*Imprimé en France*